DOKTOR DOLITTLE
I JEGO ZWIERZĘTA

Hugh Lofting

DOKTOR DOLITTLE I JEGO ZWIERZĘTA

Opowieść o życiu doktora w domowym zaciszu
oraz niezwykłych przygodach w dalekich krainach

Z oryginalnymi ilustracjami Autora

Przełożyła
Beata Adamczyk

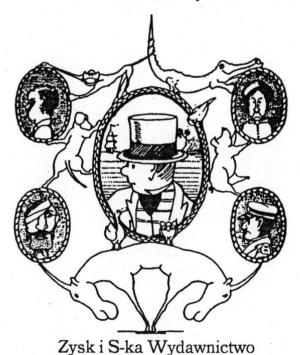

Zysk i S-ka Wydawnictwo

Tytuł oryginału
The Story of Doctor Dolittle

Redakcja
Marzena Demska

Wydanie I w tej edycji

ISBN 978-83-7298-976-5

Zysk i S-ka Wydawnictwo
ul. Wielka 10, 61-774 Poznań
tel. (0-61) 853 27 51, 853 27 67, fax 852 63 26
Dział handlowy, tel./fax (0-61) 855 06 90
sklep@zysk.com.pl
www.zysk.com.pl

*Dedykuję tę opowieść
wszystkim dzieciom
młodym wiekiem i sercem*

Przedmowa

Niektórzy z nas, którzy osiągnęli wiek średni, z nostalgią wspominają przeszłość przynajmniej z jednego powodu: obecnie nie tworzy się już takiej literatury dziecięcej jak trzydzieści lat temu. Mam na myśli książki pisane właśnie dla dzieci, żyjemy bowiem w epoce psychologizowania i bardzo często pisze się o dzieciach, jakby były tabletkami albo wylęgły się przy zastosowaniu szczególnej metody naukowej. Pisanie dla dzieci, a nie o dzieciach, jest niezwykle trudnym zadaniem. Każdy, kto próbował się z tym zmierzyć, dobrze o tym wie. Jestem przekonany, że uda się to jedynie wówczas, jeżeli pisarz ma w sobie dużo z dziecka w spojrzeniu na świat i ma jego dziecięcą wrażliwość, co widać u twórców: *Małego Księcia*, *The Dove in the Eagle's Nest*, *A Flatiron for a Farthing* albo *The Story of a Short Life*, a przede wszystkim u autora *Alicji w Krainie Czarów*.

Dorośli sądząc, że wystarczy jedynie używać dziecięcego języka i protekcjonalnie rozmawiać z wymagającymi młodymi czytelnikami, popełniają wielki błąd! Pisarz powinien mieć wyobraźnię dziecka, a dojrzałość dorosłego człowieka, by na przykład stworzyć postać Białej Królowej z *Alicji*... przedstawioną oczyma dzieci, która jednak potrafi rozwiązać niezwykle skomplikowane problemy. Biały królik, który nakłada białe rękawiczki i pospiesznie wychodzi, stanowi najczystszy wytwór dziecięcej wyobraźni, ale biały królik jako przewodnik Alicji po świecie pełnym niezwykłych przygód jest już projektem dojrzałego umysłu.

Genialni ludzie rodzą się rzadko i bez zbytniej apoteozy minionych czasów można bez wahania stwierdzić, że Hugh Lofting stał się godnym następcą Charlotte Mary Yonge, Juliany Ewing, Margaret Gatty i Lewisa Carrolla.

Pamiętam zachwyt, z jakim około pół roku temu w księgarni Hampshire w College Smith w Northampton wziąłem do ręki książkę o doktorze Dolittle'u. Wystarczyło rzucić okiem na jeden z rysunków autora. Ten, który wzbudził szczególny zachwyt, gdy po raz pierwszy otworzyłem książkę, przedstawiał wiszące nad przepaścią małpy splecione ramionami. Wertowałem dalej i zwróciłem uwagę na ilustrację przedstawiającą dom Johna Dolittle'a.

Jednak to nie tylko zasługa rysunków. Wielu pisarzy jest kiepskimi ilustratorami, więc jeśli zdarzy się między nimi jeden uzdolniony — co potwierdza przypadek Hugh Loftinga — to wówczas ma się przeczucie, że autor potrafi pisać. I tak się stało tym razem. Nie można czytać pierwszego rozdziału, zaczynającego się od typowych słów: „Bardzo dawno temu", bez przekonania, że autor wierzy w to, co pisze, co więcej, spodziewa się, że również i czytelnik mu uwierzy. To pierwsza ważna cecha, jaką powinien mieć dobry pisarz. Można też zauważyć u Loftinga niezwykłą dbałość o szczegóły. Czy ktoś obdarzony umysłem dociekliwego dziecka nie zainteresuje się zdaniem, które znajdzie nieco dalej: „Poza złotą rybką, mieszkającą w stawie z tyłu ogrodu, trzymał króliki w spiżarni, białe myszki w fortepianie, wiewiórkę w bieliźniarce i jeża w piwnicy"?

A gdy czytamy dalej, zauważymy, że doktor nie jest jedynie klamerką, na której wiesza się rozliczne, ekscytujące przygody, ale że sam stanowi oryginalną i pełnokrwistą postać: jest życzliwym, prawym człowiekiem. Każdy twórca powieści wie, o ile trudniej stworzyć pozytywnego, prawego bohatera niż negatywnego, chciwego drania. Jednak Dolittle wzbudza nasze zainteresowanie. Ale nie chodzi jedynie o to, że jest pozytywnie nastawiony do świata, posiada też rozległą wiedzę i dużą dozę zdrowego rozsądku. Czytelnik, choć młody, gdy go pozna, szybko nabiera przeświadczenia, że gdyby znalazł się w poważnych tarapatach, nie tylko zdrowotnych, bez wahania mógłby zwrócić się do doktora. Wydaje się, że doktor Dolittle świetnie rozumie duszę dziecka. Cofamy się w czasie i widzę go w *Szczurołapie z Hameln* z chmarą dzieciaków biegnących za nim. Jest budzącą sympatię, wiarygodną postacią z krwi i kości. Podobnie w przypadku pozostałych bohaterów autorowi udało się stworzyć pełne autentyzmu postaci.

Trzeba przyznać, że wymyślenie biografii zwierzętom, obdarowanie ich mową oraz ludzkimi zachowaniami stanowiło niezwykle ryzykowny zamysł. Lewis Carroll był mistrzem na tym polu, miałem wątpliwości, że jakiemukolwiek jego następcy uda się ta sztuczka — aż pojawił się Hugh Lofting. Nawet takie arcydzieło jak *O czym szumią wierzby* nie stanowi przekonywającego przykładu. Przyjaciele Johna Dolittle'a są wiarygodnymi bohaterami, gdyż ich twórca niezwykle konsekwentnie buduje swoje postaci. Na przykład Polinezja od początku jest bardzo naturalna. Naprawdę troszczy się o doktora, ale troszczy się w taki sposób, jak to robi ptak, który zawsze wraca do gniazda po wykonaniu swego zadania. Pisarz, tworząc niezwykłe zwierzęta, obdarowuje je wiarygodnym losem, co czyni ich życie przekonywającym. Trudno będzie osobie, która przeczytała tę książkę, zaprzeczyć istnieniu dwugłowca, który byłby prawdziwą postacią nawet wówczas, gdyby nie było jego rysunku, choć ilustracja na stronie 75 nas w tym utwierdza.

Trzeba przyznać, że książka ta stanowi dzieło wybitnego pisarza, choć — i jak to bywa w takiej sytuacji — trudno wskazać poszczególne elementy, które się na to złożyły. Jest w tej powieści i poezja, i fantazja, i humor oraz pewna doza patosu, a przede wszystkim wiele postaci, w których istnienie wszyscy muszą uwierzyć, czy to czteroletnie dziecko, czy dziewięćdziesięciolatek, czy dobrze prosperujący czterdziestopięcioletni bankowiec. Nie mam pojęcia, jak autorowi udała się ta sztuka. Chyba nawet on sam o tym nie wie. A jednak stworzył prawdziwe arcydzieło literatury dziecięcej, na które przyszło nam poczekać od czasu napisania *Alicji w Krainie Czarów*.

HUGH WALPOLE

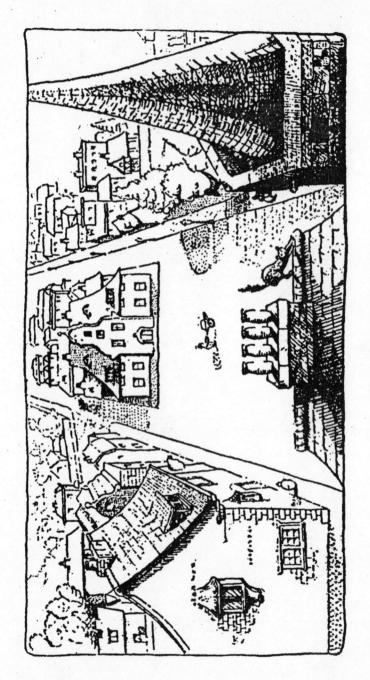

„Małe miasto Puddleby nad rzeką Marsh".

ROZDZIAŁ PIERWSZY

PUDDLEBY

Bardzo dawno temu, kiedy nasi dziadkowie byli jeszcze dziećmi, żył doktor, a nazywał się Dolittle, John Dolittle — dr med. „Dr med." oznacza, że był najprawdziwszym lekarzem i posiadał ogromną wiedzę.

Mieszkał w małym mieście o nazwie Puddleby nad rzeką Marsh. Wszyscy mieszkańcy tego miasteczka — młodzi i starzy — dobrze go znali z widzenia. Gdy szedł ulicą w cylindrze na głowie, mówili: „Zobaczcie, idzie doktor! Jaki to mądry człowiek!".

Biegły za nim dzieciaki i psy, a kruki mieszkające w kościelnej wieży zaczynały krakać i kiwać głowami.

Jego dom, położony na przedmieściach, był niewielki, był za to otoczony dużym ogrodem z szerokim trawnikiem i kamiennymi ławami, nad którymi płaczące wierzby zwieszały swoje gałęzie. Doktorowi gospodarzyła jego siostra, Sara Dolittle, a on sam zajmował się ogrodem.

Doktor bardzo lubił zwierzęta i miał ich dużą gromadkę. Poza złotą rybką, mieszkającą w stawie z tyłu ogrodu, trzymał króliki w spiżarni, białe myszki w fortepianie, wiewiórkę w bieliźniarce i jeża w piwnicy. Był właścicielem krowy z cielakiem oraz starego kulawego konia, który miał dwadzieścia pięć lat. Poza tym posiadał jeszcze: kurczaki, gołębie, dwie owieczki — i wiele innych stworzeń. Do jego ulubieńców należeli: kaczka Dab-Dab, pies Jip, mała świnka Geb-Geb, papuga Polinezja i sowa imieniem Tu-Tu.

Siostra doktora, Sara, narzekała na tę sforę i ciągle utyskiwała, że zwierzęta brudzą w domu. Kiedyś do lekarza przyszła starsza pani cierpiąca na reumatyzm. Usiadła na jeżu śpiącym smacznie na kanapie i więcej już się nie pokazała. Potem w każdą sobotę jeździła do lekarza do Oxenthorpe, miasteczka oddalonego od Puddleby o dziesięć mil.

Siostra doktora powiedziała wówczas:

— Dopóki będziesz mieszkał z tą menażerią, John, nie licz na pacjentów! Który szanujący się lekarz trzyma w salonie jeże i myszy! To już czwarta osoba, którą odstraszyły te zwierzaki. Sędzia Jenkins i wielebny pastor oświadczyli, że nie zbliżą się już do naszego domu — nawet gdyby byli śmiertelnie chorzy. Biedniejemy z dnia na dzień. Jeśli dalej będziesz tak postępował, żaden przedstawiciel śmietanki towarzyskiej nie będzie się u ciebie leczył.

— Ja tam wolę zwierzęta od jakiejś śmietanki towarzyskiej — stwierdził doktor.

— Nie gadaj głupstw — odparła Sara i wyszła z pokoju.

Czas mijał. Doktorowi zwierząt przybywało, a pacjentów ubywało. Aż w końcu nie pokazał się ani jeden, no,

„I więcej już się nie pokazała".

z wyjątkiem karmiciela kotów, któremu zwierzęta nie przeszkadzały. Ale on nie był zamożnym człowiekiem, a chorował jedynie raz w roku, w czasie Świąt Bożego Narodzenia, i wówczas płacił doktorowi sześć pensów za butelkę mikstury.

Nie można przeżyć za sześć pensów rocznie — nawet w tamtych czasach było to niemożliwe. A gdyby John Dolittle nie miał kilku groszy schowanych w skarbonce, nie wiadomo, co by się stało.

A zwierząt wciąż przybywało i trzeba było dużo pieniędzy, by utrzymać całą menażerię. Zaoszczędzona sumka topniała z dnia na dzień.

Doktor musiał sprzedać fortepian, a wtedy myszy zamieszkały w szufladzie biurka. Jednak pieniądze, które otrzymał za instrument, także szybko się rozeszły. Dlatego doktor Dolittle był zmuszony sprzedać swoje niedzielne, brązowe ubranie. Ale i to na nic się zdało.

Gdy teraz szedł ulicą w cylindrze na głowie, przechodnie mówili: „Zobacz, idzie John Dolittle, doktor medycyny! Niegdyś był to najbardziej znany lekarz w okolicy, a spójrzcie na niego teraz! Nie ma pieniędzy, tylko dziury w skarpetach!".

A jednak nadal goniły za nim psy, koty i dzieciaki — tak samo jak wówczas, gdy był bogatym człowiekiem.

ROZDZIAŁ DRUGI

JĘZYK ZWIERZĄT

Pewnego razu doktor siedział w kuchni i rozmawiał z karmicielem kotów, który przyszedł do niego z bólem brzucha.

— Dlaczego nie przestanie pan leczyć ludzi i nie zajmie się zwierzętami? — spytał pacjent.

Na oknie siedziała papuga Polinezja. Przyglądała się kroplom deszczu i nuciła marynarską piosenkę. W tym momencie umilkła i zaczęła przysłuchiwać się rozmowie.

— Przecież — ciągnął karmiciel kotów — o zwierzętach wie pan wszystko. Dużo więcej niż okoliczni weterynarze. Ta książka, którą pan napisał o kotach, jest nadzwyczajna! Ja nie potrafię ni pisać, ni czytać — inaczej sam bym napisał kilka książek. Ale moja żona, Teodozja, to uczona kobieta, naprawdę. Czytała mi pana książkę. Jest wspaniała — tylko tyle mogę powiedzieć — wspaniała! Pisze pan, jakby pan sam kiedyś był kotem: zna pan ich sposób myślenia. Lecząc zwierzęta, może pan zarobić mnóstwo pieniędzy. Wie pan, co zrobię? Będę przysyłał tu wszystkie staruszki z chorymi kotami i psami. A jeśli zaraz te zwierzaki nie zaczną chorować, włożę coś do żarcia i sprzedam je, a wtedy się porządnie rozchorują, dobra?

— Nie ma mowy! — zaprotestował doktor. — Zabraniam ci. Tak nie wolno.

— Och, nie miałem na myśli nic złego — odparł karmiciel kotów. — Mogłyby tylko stać się nieco ospałe. Ma pan jednak rację. To nie byłoby w porządku wobec tych zwierzaków. Ale przecież i tak się rozchorują, bo starsze panie je na ogół przekarmiają. A na dodatek, okoliczni rolnicy mają kulawe konie i słabowite owce — też je przyprowadzą. Niech pan zostanie lekarzem zwierząt!

Kiedy pacjent sobie poszedł, papuga sfrunęła z okna, usiadła na stole i powiedziała:

— To, co mówił, miało sens. Tak właśnie powinien pan zrobić: zostać lekarzem zwierząt. Niech pan zostawi tych głupich ludzi. Nie mają dość rozumu, by dostrzec, że jest pan najlepszym lekarzem na świecie. Wkrótce się o tym przekonają. Niech pan leczy zwierzęta!

— Na świecie aż się roi od weterynarzy — stwierdził Dolittle, wystawiając za okno doniczki z kwiatami, by skropił je deszcz.

— Zgadza się — potwierdziła Polinezja — ale żaden z nich nie nadaje się do tej roboty. Niech pan posłucha, doktorze! Coś panu powiem. Czy wie pan, że zwierzęta potrafią mówić?

— Wiem, że papugi potrafią — odparł.

— My, papugi, znamy dwa języki: ludzi i ptaków — oświadczyła z dumą Polinezja. — Jeśli mówię: „Polly

„Wie pan, co zrobię? Będę przysyłał tu wszystkie staruszki
z chorymi kotami i psami".

chce ciasteczko", to pan mnie rozumie. A niech pan
posłucha tego: „Ke-ke oi-i, fi-fi". Co to znaczy?

— Wielkie nieba! — wykrzyknął doktor. — A skąd
mam wiedzieć?

— To w ptasim języku oznacza: „Czy owsianka jeszcze nie ostygła?".

— Ojej! Coś takiego! — wykrzyknął doktor. — Nigdy przedtem tak do mnie nie mówiłaś.

— A czy to by się na coś zdało? — spytała papuga, strzepując ze skrzydła okruchy ciastka. — I tak by mnie pan nie zrozumiał.

— Powiedz coś jeszcze — poprosił doktor z ogromnym zaciekawieniem. Pobiegł do kredensu i wyciągnął z szuflady notes i ołówek rzeźnika. — A teraz powiedz to jeszcze raz, ale powoli, a ja sobie zapiszę. To interesujące, niezwykle interesujące — coś niesamowitego! Podaj mi najpierw ptasi alfabet — tylko powoli.

W taki właśnie sposób doktor dowiedział się, że zwierzęta mają własny język i potrafią ze sobą rozmawiać. Przez całe popołudnie, gdy za oknem lał deszcz, Polinezja siedziała w kuchni przy stole i podawała ptasie słowa, a doktor je zapisywał.

Podczas podwieczorku pojawił się Jip, a papuga powiedziała:

— Niech pan spojrzy, doktorze, on coś do pana mówi.

— Chyba drapie się za uchem — odparł doktor.

— Ale zwierzęta do mówienia używają nie tylko języka — zauważyła Polinezja, podnosząc głos i unosząc brwi. — One mówią uszami, nogami, ogonem — czym się da. Czasami nie chcą robić hałasu. Widzi pan, jak teraz pociera sobie nos?

— Co to znaczy? — spytał doktor.

— To znaczy: „Czy nie widzisz, że przestało padać?" — przetłumaczyła. — Zadaje panu pytanie. Psy często używają nosów, gdy chcą zadać pytanie.

Po jakimś czasie, z pomocą swojej nauczycielki, doktor tak dobrze opanował zwierzęcy język, że sam mógł rozmawiać ze zwierzętami i rozumiał wszystko, co mówiły. Później zupełnie przestał leczyć ludzi.

Gdy karmiciel kotów rozgłosił, że John Dolittle został lekarzem zwierząt, starsze panie zaczęły przyprowadzać do niego swoje mopsy, pudle, które objadły się ciastkami, a rolnicy pokonywali wiele mil, by pokazać mu swoje chore krowy i owce.

Pewnego dnia pojawił się u niego koń pociągowy i biedak bardzo się ucieszył, że znalazł kogoś, kto zna język koni.

— Wie pan, doktorze — zagaił — że ten weterynarz po drugiej stronie wzgórza zupełnie nie poznał się na mojej chorobie. Od sześciu tygodni leczy mnie na włogaciznę[1]. A ja potrzebuję okularów. Ślepnę na jedno oko. Nie znam powodu, dla którego konie nie miałyby nosić okularów podobnie jak ludzie. Ale ten idiota nawet nie zbadał mi oczu. Cały czas szpikuje mnie dużymi tabletkami. Próbowałem mu powiedzieć, ale on ni w ząb nie rozumie końskiego języka. A ja potrzebuję okularów.

— Naturalnie — odparł doktor. — Zaraz ci jakieś przepiszę.

— Chciałbym takie, jak ma pan — poprosił czworonożny pacjent — tyle że zielone. Takie ochronią przed słońcem podczas orki pięćdziesięcioakrowego pola.

— Dobrze — zgodził się lekarz. — Dostaniesz zielone.

---

[1] Włogacizna — przewlekłe zapalenie stawu skokowego koni objawiające się naroślami tego stawu i kulawizną. (Wszystkie przypisy pochodzą od tłumaczki).

— Wie pan, na czym polega kłopot, sir? — spytał koń, gdy doktor otworzył mu drzwi na pożegnanie. — Chodzi o to, że każdy uważa, że potrafi leczyć zwierzęta, bo one nie narzekają. A prawda jest taka, że trzeba dużo więcej mądrości, by zostać dobrym weterynarzem niż lekarzem ludzi. Syn mojego gospodarza sądzi, że wie wszystko o koniach. Szkoda, że pan go nie widział. Twarz ma tak pulchną, że wydaje się, jakby nie miał oczu, a mózg wielkości orzecha laskowego. W zeszłym tygodniu próbował przykleić mi gorczycowy plaster.

— A gdzie go przykleił? — spytał doktor.

— Och, nigdzie — odparł koń. — Tylko próbował. Kopnąłem go i wpadł do stawu z kaczkami.

— Coś takiego! — wykrzyknął doktor.

— Z natury jestem nadzwyczaj spokojny — stwierdził pacjent — i bardzo cierpliwy w stosunku do ludzi. Nie sprawiam wielu problemów. Ale wystarczyło, że weterynarz postawił złą diagnozę. A gdy ten głupek z rumianą gębą zaczął na mnie eksperymentować, nie wytrzymałem.

— Bardzo go poturbowałeś? — spytał doktor.

— Och, nie — odparł koń. — Kopnąłem go tam, gdzie trzeba. Teraz zajął się nim weterynarz. Kiedy będą gotowe moje okulary?

— Możesz odebrać je w przyszłym tygodniu — odpowiedział lekarz. — Przyjdź we wtorek. Dobrego dnia życzę!

John Dolittle zamówił porządne, duże, zielone okulary i koń pociągowy przestał ślepnąć na jedno oko i widział tak jak przedtem.

Wkrótce zwierzęta domowe w okularach na nosie przestały budzić zdziwienie w okolicach Puddleby, natomiast ślepy koń stał się niespotykanym zjawiskiem.

Tak samo było z innymi stworzeniami, które przychodziły do doktora. Gdy tylko dowiedziały się, że zna on ich mowę, mówiły, gdzie je boli, jak się czują, a on bez problemu stawiał właściwą diagnozę.

Wyleczone wracały do domów i opowiadały swoim braciom i kolegom, że w niewielkim domku z dużym ogrodem mieszka doktor, który jest prawdziwym doktorem. A gdy zachorowały inne zwierzęta — nie tylko konie, krowy czy psy, ale także małe stworzonka polne, jak myszy, karczowniki, borsuki i nietoperze — szybko biegły do domku stojącego na skraju miasteczka, a duży ogród doktora zapełniał się zwierzętami, które próbowały się do niego dostać.

„Widział tak jak przedtem".

Wiele wchodziło specjalnie dla nich przygotowanymi drzwiami. Na drzwiach frontowych zawiesił napis: „Konie", nad bocznymi: „Krowy", a nad kuchennymi: „Owce".

Każde zwierzę wchodziło osobnym wejściem — nawet myszy miały wąziutki tunel prowadzący do piwnicy, gdzie cierpliwie czekały ustawione rządkiem, aż podejdzie do nich doktor.

Tak to w ciągu kilku lat każde żywe stworzenie mieszkające w odległości wielu mil poznało dr. med. Johna Dolittle'a. Ptaki odlatujące na zimę do innych krajów opowiadały o nadzwyczajnym lekarzu z miasteczka Puddleby, który rozumie ich mowę i pomaga w problemach zdrowotnych. W ten sposób doktor zyskał sławę wśród zwierząt na całym świecie. Stał się nawet bardziej znany niż niegdyś wśród okolicznych mieszkańców. Był szczęśliwy i cieszyło go takie życie.

Pewnego popołudnia doktor zajęty był pisaniem książki, a Polinezja siedziała jak zwykle na parapecie i patrzyła na unoszone wiatrem liście w ogrodzie. Nagle roześmiała się głośno.

— O co chodzi, Polinezjo? — spytał doktor, podnosząc wzrok znad książki.

— Tak sobie myślałam — odparła papuga i odwróciła głowę w stronę okna.

— A o czym?

— O ludziach — odpowiedziała. — Niedobrze mi się robi na ich widok. Uważają, że są tacy wspaniali. Świat istnieje od wielu tysięcy lat, prawda? A oni nauczyli się

"Szybko biegły do domku stojącego na skraju miasteczka".

jedynie rozumieć ze zwierzęcego języka to, że gdy pies pomacha ogonem, znaczy: „Cieszę się!". Czy to nie zabawne? Pan jest pierwszym człowiekiem, który potrafi się z nami porozumieć. Och, czasami działają mi strasznie na nerwy! Robią takie wyniosłe miny, gdy mówią o „głupich zwierzętach". Głupich! Że jak? Kiedyś poznałam arę, która potrafiła powiedzieć „dzień dobry" na siedem sposobów bez otwierania dzioba. Znała wszystkie języki, nawet grekę. Aż kupił ją stary profesor z siwą brodą. Ale ona nie chciała u niego zostać. Powiedziała, że profesor nie zna dobrze greckiego i ona nie może słuchać, jak ucząc, kaleczy ten język. Często zastanawiam się, co się z nią stało. Ten ptak znał geografię lepiej niż niejeden człowiek. Ludzie! Chyba gdyby nauczyli się latać — co potrafi każdy pospolity szary wróbel — to chwaliliby się tym do końca życia.

— Jesteś bardzo mądrą starą papugą — stwierdził doktor. — Ile masz naprawdę lat? Wiem, że papugi i słonie dożywają czasami bardzo, bardzo sędziwego wieku.

— Tak na pewno to nie wiem — odpowiedziała Polinezja. — To będzie albo sto osiemdziesiąt trzy, albo sto osiemdziesiąt dwa. Pamiętam tylko, że gdy po raz pierwszy przyleciałam tu z Afryki, król Karol nadal ukrywał się w dębie — widziałam go tam. Był przerażony.

ROZDZIAŁ TRZECI

DALSZE KŁOPOTY FINANSOWE

Wkrótce doktor znowu zaczął zarabiać pieniądze, a jego siostra, Sara, kupiła sobie nową sukienkę i była bardzo szczęśliwa.

Niektóre zwierzęta, które leczył, były tak chore, że musiały pozostać u niego tydzień. Gdy doszły trochę do siebie, wypoczywały na leżakach w ogrodzie.

A często zdarzało się, że gdy wyzdrowiały, nie miały ochoty opuszczać tego miejsca — tak bardzo polubiły doktora i jego dom. A on nie potrafił im odmówić, kiedy pytały, czy mogą u niego zostać. W ten sposób jego menażeria powiększała się z dnia na dzień.

Gdy pewnego wieczoru doktor siedział na ogrodowym murze i palił fajkę, pojawił się włoski kataryniarz z małpką na sznurku. Dolittle zauważył, że zwierzę ma za ciasną obrożę, jest brudne i nieszczęśliwe. Odebrał Włochowi małpkę, dał mu szylinga i kazał się wynosić. Kataryniarz strasznie się rozzłościł i oświadczył, że chce zatrzymać zwierzątko. Wówczas doktor zagroził, że jeśli nie odejdzie, to oberwie. John Dolittle był krzepkim, choć niezbyt

„Wypoczywały na leżakach w ogrodzie".

wysokim mężczyzną. Dlatego muzyk poszedł sobie, mrucząc pod nosem przekleństwa, a małpka została u doktora Dolittle'a, u którego znalazła swój dom. Zwierzęta nazwały ją Czi-Czi, co po małpiemu oznacza „rudzielec".

Innego dnia do Puddleby przyjechał cyrk. Krokodyl, którego bardzo bolały zęby, uciekł w nocy i przyszedł do ogrodu doktora. Dolittle porozmawiał z nim w krokodylim języku, zabrał do domu i wyleczył zęby. A gdy krokodyl zobaczył, jaki to miły dom z tyloma różnymi pomieszczeniami dla zwierzaków, także chciał pozostać u doktora. Spytał, czy mógłby spać w stawie z tyłu ogrodu, i obiecał, że nie zje rybek. Gdy cyrkowcy przyszli po niego, wpadł w taką złość i tak ich wystraszył, że wzięli nogi za pas. Wobec domowników był jednak zawsze miły i łagodny.

Z jego powodu starsze panie bały się jednak przysyłać swoje pieski, a rolnicy nie chcieli uwierzyć, że nie zje owiec i chorych cielaków, które przyprowadzą do leczenia. Dlatego doktor oświadczył krokodylowi, że musi wrócić do cyrku. Ten jednak zaczął płakać tak ogromnymi łzami i tak bardzo błagać, by pozwolił mu zostać, że Dolittle nie miał serca go odesłać.

Wtedy siostra doktora powiedziała:

— John, musisz pozbyć się tej bestii, bo znowu przestanie nam się powodzić. Jeśli tego nie uczynisz, za jakiś czas zostaniemy bez grosza. Teraz rolnicy i starsze panie boją się przysyłać do ciebie swoje zwierzęta. Dłużej już tego nie wytrzymam! Jeśli nie odeślesz tego aligatora, przestanę prowadzić ci gospodarstwo.

— To nie aligator — stwierdził doktor — tylko krokodyl.

— Jak zwał, tak zwał — odparła. — To obrzydliwe znaleźć coś takiego pod łóżkiem. Nie chcę mieszkać z tym stworem pod jednym dachem.

— Ale on mi obiecał — odpowiedział jej brat — że nikogo nie ugryzie. Życie w cyrku mu nie odpowiada, a ja nie mam pieniędzy, by wysłać go do Afryki, skąd pochodzi. Stara się, jak może, i w sumie zachowuje się bardzo porządnie. Nie rób hałasu o nic!

— Jeszcze raz powtarzam: nie chcę mieszkać z nim pod jednym dachem — oświadczyła Sara. — Gryzie linoleum. Jeśli zaraz go nie odeślesz, to ja… ja opuszczę ten dom i wyjdę za mąż!

— Proszę bardzo — odparł doktor. — Wychodź sobie za mąż. Nie zmienię decyzji. — Po tych słowach wziął do ręki kapelusz i wyszedł do ogrodu.

Sara Dolittle spakowała swój dobytek i opuściła dom, w którym pozostał jej brat ze swymi zwierzętami.

„Proszę bardzo. Wychodź sobie za mąż".

Wkrótce bieda zajrzała doktorowi w oczy. Trzeba było nakarmić wszystkie zwierzaki. Cały dom był na jego głowie, a on nie miał ani pomocnika, ani pieniędzy, by zapłacić rzeźnikowi.

Sytuacja doktora stale się pogarszała, ale on zupełnie się tym nie przejmował.

— Pieniądze przynoszą tylko kłopoty — zwykle powtarzał. — Byłoby znacznie lepiej na świecie, gdyby ich nie wynaleziono. Po co nam one, dopóki jesteśmy szczęśliwi?

Jednak wkrótce zwierzęta zaczęły się martwić. Pewnego wieczoru, gdy doktor drzemał w fotelu w kuchni, zaczęły szeptem ze sobą rozmawiać. Sowa Tu-Tu, która miała głowę do rachunków, obliczyła, że pieniędzy zostało tylko na tydzień, pod warunkiem że będą jedli jeden posiłek dziennie.

Wtedy odezwała się papuga:

— Moim zdaniem sami powinniśmy zając się domem. Przynajmniej to możemy zrobić. Przecież z naszego powodu starszy pan został sam i znalazł się w tarapatach.

Uzgodniono, że małpka Czi-Czi zajmie się gotowaniem i drobnymi naprawami, pies będzie zamiatać podłogi, kaczka — odkurzać i słać łóżka, sowa Tu-Tu zajmie się rachunkami, a świnka ogrodem. Papudze Polinezji nadano rangę gospodyni i praczki, ponieważ była najstarsza.

Z początku było im bardzo trudno podołać tym obowiązkom — wszystkim z wyjątkiem Czi-Czi, która miała dwie ręce i potrafiła posługiwać się nimi jak człowiek. Wkrótce jednak przywykli i z przyjemnością przyglądali się, jak Jip zamiata podłogę szmatą przywiązaną do ogona. Po jakimś czasie tak dobrze sobie radzili, że dom doktora lśnił jak nigdy przedtem.

Pod względem organizacyjnym wszystko się układało, choć doskwierał im brak pieniędzy.

Zwierzęta postanowiły ustawić przed domem stragan i zaczęły sprzedawać przechodniom rzodkiewki i róże.

To jednak nie wystarczało na opłacenie rachunków — ale doktor i tak się nie przejmował. Kiedy papuga powiedziała mu, że w sklepie nie sprzedadzą im więcej ryb, stwierdził:

„Pewnego wieczoru, gdy doktor drzemał w fotelu…"

— Nie szkodzi. Dopóki kury znoszą jaja, a krowy dają mleko, dopóty będziemy jedli omlety i ser. A w ogrodzie mamy mnóstwo warzyw. Do zimy jeszcze daleko. Nie ma co narzekać. Zachowujecie się jak Sara — ona też ciągle narzekała. Jestem ciekaw, co u niej słychać. Pod pewnymi względami to wspaniała kobieta.

Tego roku śnieg spadł dużo wcześniej. I choć kulawy koń przytargał z lasu mnóstwo drewna, by mieli czym rozpalić pod kuchnią, większość warzyw została już zjedzona, a to, co zostało, przykrył biały puch. Zwierzętom zaczął doskwierać głód.

ROZDZIAŁ CZWARTY

WIADOMOŚĆ Z AFRYKI

Zima tamtego roku była naprawdę mroźna. Pewnego wieczoru, a było to w grudniu, wszyscy siedzieli przy kuchni. Doktor właśnie czytał im jedną ze swoich książek, gdy nagle sowa Tu-Tu powiedziała:

— Ciii! Co to za hałas?

Wszyscy nadstawili uszu i po chwili usłyszeli jakiś tupot. Drzwi otworzyły się szeroko i wbiegła małpka Czi-Czi. Nie mogła złapać tchu.

— Panie doktorze! — wykrzyknęła. — Właśnie dostałam wiadomość z Afryki! Wśród małp wybuchła jakaś epidemia. Wszystkie się rozchorowały — i umierają jedna po drugiej. Dowiedziały się o pana istnieniu i błagają, by pojechał pan do Afryki i powstrzymał tę chorobę.

— Kto przyniósł tę wiadomość? — spytał doktor, zdejmując okulary i odkładając książkę.

— Jaskółka — odparła Czi-Czi. — Czeka na dworze.

— Przyprowadźcie ją tutaj. Niech się ogrzeje — poprosił doktor. — Pewnie trzęsie się z zimna. Wszystkie jaskółki odleciały na południe pół roku temu!

Przyprowadzono jaskółkę, skuloną i drżącą, i choć z początku trochę się bała, szybko się ogrzała, usiadła na kominku i zaczęła swoją opowieść.

Gdy skończyła, doktor oświadczył:

— Chętnie bym pojechał do Afryki, szczególnie teraz, kiedy mamy taką kiepską pogodę, obawiam się jednak, że nie wystarczy nam pieniędzy na bilety. Czi-Czi, przynieś skarbonkę!

Małpka wdrapała się na kredens i zdjęła puszkę z górnej półki.

W środku było pusto — ani jednego grosika!

— Byłem pewien, że zostały dwa pensy — mruknął doktor.

„Byłem pewien, że zostały dwa pensy".

— Były tam — odezwała się sowa. — Ale wydał je pan na grzechotkę dla małego borsuka, kiedy ząbkował.

— Naprawdę? — spytał zdziwiony. — A niech to! Z tymi pieniędzmi są same kłopoty. A, nieważne! Pójdę nad morze i może uda mi się wypożyczyć statek, którym popłyniemy na Czarny Ląd. Kiedyś poznałem pewnego marynarza. Przyprowadził do mnie swoje chore na odrę dziecko. Może on pożyczy nam statek — przecież wyleczyłem mu dziecko.

Następnego dnia z samego rana doktor udał się nad morze. Gdy wrócił, oznajmił, że sprawa załatwiona — marynarz zgodził się wynająć mu okręt.

Słysząc te słowa, krokodyl, małpka i papuga bardzo się ucieszyli. Zaczęli podśpiewywać z radości, że wracają do swojej ojczyzny. Doktor powiedział:

— Będę mógł zabrać tylko waszą trójkę — oraz psa Jipa, kaczkę Dab-Dab, świnkę Geb-Geb i sowę Tu-Tu. Pozostałe zwierzęta, to znaczy: orzesznice[2], karczowniki[3] i nietoperze, aż do naszego powrotu zamieszkają na polu, gdzie się urodziły. A ponieważ prawie wszystkie przesypiają zimę, nie zrobi im to różnicy. Poza tym podróż do Afryki by im nie służyła.

Wtedy papuga, która w niejednej wyprawie wzięła udział, zaczęła radzić doktorowi, co powinien zabrać na statek.

---

[2] Orzesznica — gryzoń zamieszkujący lasy i zarośla Eurazji i Afryki.

[3] Karczownik — inaczej szczur wodny, gryzoń zamieszkujący Europę i część Azji.

— Musimy wziąć mnóstwo sucharów — oświadczyła. — I jeszcze wołowinę w puszkach. Aha, i kotwicę.

— Statek powinien mieć kotwicę na wyposażeniu — oznajmił doktor.

— Cóż, musimy się upewnić — odparła Polinezja. — To ważna sprawa. Jeśli zapomnimy o kotwicy, to się nie zatrzymamy. Aha, jeszcze będzie pan potrzebował dzwonka.

— A po co ? — spytał doktor.

— By informować o czasie — odpowiedziała. — Będzie pan dzwonił co pół godziny. Wówczas będzie pan wiedział, która jest godzina. I jeszcze musimy zabrać kilka zwojów porządnej liny — na wyprawach zawsze się przydaje.

Później zaczęli się zastanawiać, skąd zdobyć na to wszystko pieniądze.

— A niech to! Znowu te pieniądze! — wykrzyknął doktor. — O Boże, jak już dotrzemy do Afryki, będę szczęśliwy, bo tam ich nie potrzeba. Pójdę spytać sklepikarza, czy poczeka na swoje pieniądze do naszego powrotu. Nie, lepiej wyślę do niego marynarza.

Marynarz poszedł do sklepikarza. Po pewnym czasie pojawił się z całym potrzebnym ekwipunkiem.

Wtedy zwierzęta zaczęły przygotowania do podróży. Zakręciły wodę, żeby rury nie zamarzły, zamknęły okiennice i cały dom, a klucz oddały staremu koniowi, który mieszkał w stajni. Sprawdziły, czy koń ma dość siana, by przetrwać zimę, po czym zabrały bagaże nad morze i załadowały na statek.

Na plaży pojawił się karmiciel kotów, by pomachać im na pożegnanie. Przyniósł ze sobą prezent dla doktora — ogromny pudding, ponieważ dowiedział się, że w dalekich krajach nie znają takiej potrawy.

Kiedy już się zaokrętowali, Geb-Geb spytała, gdzie są łóżka, była bowiem czwarta po południu i świnka chciała uciąć sobie drzemkę. Polinezja zaprowadziła ją pod pokład i pokazała posłania przymocowane do ściany jedno nad drugim jak regały z książkami.

— To nie jest łóżko! — wykrzyknęła świnka. — Przecież to półka!

— Tak na statkach wyglądają łóżka — wyjaśniła papuga. — To nie jest regał. Wdrap się na górę i zdrzemnij. To się nazywa „koja".

— Chyba jeszcze nie mam ochoty na drzemkę — oznajmiła Geb-Geb. — Jestem zbyt podekscytowana. Pójdę na górę i zobaczę, jak odpływamy.

— To twoja pierwsza wyprawa — powiedziała Polinezja. — Za jakiś czas przywykniesz do życia na morzu. — Papuga wróciła na pokład, nucąc piosenkę:

Widziałam Morze Czarne i Czerwone,
A wyspę Wight opłynęłam całą.
Ujrzałam brzegi Żółtej Rzeki nieskończone,
Pomarańczowej także — chociaż nocą białą.
Wyspa Zielona gdzieś w oddali niknie,
Sunę po falach oceanu błękitnego.
Niech już paleta tych kolorów zniknie,
Spotkasz mnie wkrótce, miła, stęsknionego.

„I tak rozpoczęła się ich podróż".

Już mieli rozpocząć wyprawę, kiedy doktor oznajmił, że musi wrócić i spytać marynarza o drogę do Afryki.

Wtedy jaskółka wtrąciła, że była tam tyle razy, że ona wskaże im, jak płynąć.

Dlatego doktor rozkazał Czi-Czi, by podniosła kotwicę. I tak rozpoczęła się ich podróż.

ROZDZIAŁ PIĄTY

WIELKA WYPRAWA

Minęło sześć tygodni, a oni nadal płynęli po kłębiących się falach. Przed nimi wciąż leciała jaskółka i wskazywała im drogę. Nocą trzymała maleńką latarnię, by w ciemności nie stracili jej z oczu. Pasażerowie mijanych statków brali to światło za spadającą gwiazdę.

Kiedy coraz bardziej posuwali się na południe, robiło się coraz cieplej. Polinezja, Czi-Czi i krokodyl przez cały czas z przyjemnością wygrzewali się na gorącym słońcu. Biegali w kółko, śmiali się i wyglądali przez burtę, by zobaczyć, czy nie widać już brzegów Afryki.

Śwince, psu i sowie Tu-Tu niezbyt jednak podobała się taka pogoda. Siedzieli na rufie w cieniu ogromnego okrętu i z wywieszonymi językami popijali lemoniadę.

Kaczka Dab-Dab chłodziła się, skacząc do wody i płynąc za statkiem. A gdy czubek jej głowy za bardzo się nagrzał, dawała nura pod statek i wypływała z drugiej strony. W ten sposób we wtorki i piątki łapała śledzie i wszyscy jedli ryby, by nie zabrakło im wołowiny.

Kiedy znaleźli się bliżej równika, ujrzeli latające ryby zmierzające w ich kierunku, które spytały papugę, czy to statek doktora Dolittle'a. Gdy potwierdziła, bardzo się ucieszyły, bo afrykańskie małpy już zaczynały się martwić, że doktor się nie pojawi. Polinezja chciała wiedzieć, ile mają jeszcze mil do pokonania. Latające ryby oznajmiły, że do wybrzeży Afryki zostało jeszcze pięćdziesiąt pięć mil.

Innym razem przypłynęła ławica morświnów[4], sunąc wdzięcznie po falach. One także chciały wiedzieć, czy to statek sławnego doktora. A kiedy papuga udzieliła twierdzącej odpowiedzi, spytały, czy doktor czegoś nie potrzebuje, wówczas Polinezja odparła:

— Właśnie kończy się nam cebula.

— Niedaleko stąd jest wyspa — powiedziały morświny. — Tam rośnie dzika cebula. Ma wysokie i mocne łodygi. Nie zbaczajcie z tego kursu — popłyniemy po nią i dogonimy was.

Morświny błyskawicznie oddaliły się i zniknęły w morskiej toni. Wkrótce papuga znowu je ujrzała. Ciągnęły cebulę w olbrzymich sieciach zrobionych z wodorostów.

Następnego dnia o zachodzie słońca doktor poprosił:

— Czi-Czi, podaj mi teleskop! Nasza podróż dobiega końca. Już niedługo ujrzymy wybrzeża Afryki.

---

[4] Morświn — morski ssak z rzędu waleni zamieszkujący przybrzeżne wody Atlantyku.

Pół godziny później zdawało im się, że widzą przed sobą jakiś ląd. Ale szybko zaczęło się ściemniać i już nie byli tego tacy pewni.

Wtedy na morzu rozszalał się straszny sztorm z błyskawicami i grzmotami. Wiatr wył, z nieba lały się strugi deszczu, a fale były tak wysokie, że sięgały ponad burty statku.

Nagle usłyszeli głośne BUM! Statek stanął i przechylił się na jedną stronę.

— Co się stało? — spytał doktor, wychodząc na pokład.

— Chyba statek się rozbił — odparła papuga. — Niech kaczka wskoczy do wody i sprawdzi, co się dzieje.

Dab-Dab zanurkowała. A gdy się pokazała, oznajmiła, że uderzyli w skałę: w statku zrobiła się ogromna dziura, woda wlewa się do środka i okręt szybko idzie na dno.

— Pewnie uderzyliśmy o afrykański brzeg — stwierdził doktor. — A niech to! Musimy sami dopłynąć do lądu!

Ale Czi-Czi i Geb-Geb nie umiały pływać.

— Przynieście linę — rozkazała Polinezja. — Powiem wam, co teraz zrobimy. Gdzie się podziewa ta kaczka?! Dab-Dab, chodź tutaj! Chwycisz koniec liny, popłyniesz do brzegu i przywiążesz ją do palmy. My chwycimy drugi koniec. Ci, którzy nie potrafią pływać, przejdą po linie i w ten sposób dostaną się na ląd. To się nazywa „lina ratunkowa".

W ten sposób wszyscy bezpiecznie dotarli do brzegu — jedni w wodzie, inni w powietrzu. Te zwierzęta, które przeszły po linie, zabrały kufer i torbę doktora.

Z powodu ogromnej dziury statek już do niczego się nie nadawał. Po chwili wzburzone fale rozbiły go o skały, a na wodzie unosiły się tylko belki i deski.

Wszyscy schronili się w suchej jaskini wysoko na skale i przeczekali tam, aż burza ucichła.

Kiedy następnego dnia na niebie pokazało się słońce, zeszli na piaszczystą plażę, by się osuszyć.

— Kochana stara Afryka! — westchnęła Polinezja. — Jak dobrze być z powrotem w domu! Niesamowite —

„Pewnie uderzyliśmy o afrykański brzeg".

jutro minie sześćdziesiąt dziewięć lat, odkąd stąd wyjechałam! Nic się tu nie zmieniło! Te same stare palmy, ta sama brunatna ziemia, te same czarne mrówki! Nie ma to jak w domu!

Okazało się, że doktor zgubił cylinder — wiatr zdmuchnął go do morza podczas sztormu. Dab-Dab poszła więc go poszukać. Ujrzała cylinder daleko od brzegu, jak dryfuje po wodzie, przypominając zabawkę.

Gdy sfrunęła, by go pochwycić, zauważyła w środku bardzo przerażoną białą myszkę.

— Co tu robisz? — spytała. — Przecież miałaś zostać w Puddleby.

— Nie posłuchałam — odparła myszka — bo chciałam odwiedzić Afrykę. Mam tutaj rodzinę. Dlatego schowałam się w bagażu i wraz z sucharami wniesiono mnie na pokład. Gdy statek zaczął tonąć, strasznie się przeraziłam, bo kiepsko pływam. Płynęłam tak długo, dopóki starczyło mi sił. Szybko jednak osłabłam i pomyślałam, że za chwilę utonę. A wtedy zauważyłam cylinder unoszący się na falach. Wskoczyłam do środka, bo nie chciałam pójść na dno.

Kaczka chwyciła kapelusz ze zwierzątkiem i przyniosła go doktorowi czekającemu na brzegu. Wszyscy zebrali się, by zajrzeć do środka.

— Oto pasażer na gapę — oznajmiła papuga.

Gdy szukali w kufrze odpowiedniego miejsca, gdzie mysz mogłaby wygodnie podróżować, małpka Czi-Czi nagle zawołała:

— Ciii! Słyszę jakieś kroki w dżungli!

Wszyscy przerwali rozmowę i zaczęli nadsłuchiwać. Po chwili z gąszczu wynurzył się tubylec i spytał, co tutaj robią.

— Nazywam się John Dolittle i jestem lekarzem — przedstawił się doktor. — Poproszono mnie, bym przybył do Afryki i wyleczył chore małpy.

— Musicie stawić się przed obliczem króla — oznajmił im przybysz.

„Wskoczyłam do środka, bo nie chciałam pójść na dno".

— Jakiego króla? — spytał Dolittle, który nie miał ochoty marnować czasu.

— Króla Jolliginki — odparł zapytany. — Wszystkie te ziemie należą do niego i obcokrajowcy muszą stawić się przed jego obliczem. Pójdziecie ze mną!

Zabrali więc swój bagaż i weszli za tubylcem do dżungli.

ROZDZIAŁ SZÓSTY

POLINEZJA I KRÓL

Kiedy już pokonali gęstą dżunglę i wyszli na szeroką jasną polanę, ujrzeli pałac królewski ulepiony z błota.

Mieszkał w nim król ze swą małżonką, królową Ermintrudą, i synem, księciem Bumpo. Książę poszedł łowić łososie w rzece, a królewska para siedziała przed pałacem pod parasolem. Królowa Ermintruda drzemała.

Widząc doktora, król spytał go o cel jego wizyty, a gdy ten podał mu powód przyjazdu do Afryki, tak się odezwał:

— Nie wolno ci przejeżdżać przez moje ziemie — powiedział. — Wiele lat temu pewien cudzoziemiec przybił do tych wybrzeży. Byłem dla niego niezwykle uprzejmy. On jednak wywiercił w ziemi wielkie dziury, by znaleźć złoto, wybił wszystkie słonie, by pozyskać ich ciosy, a potem uciekł potajemnie na swoim okręcie i nawet nie podziękował. Już więcej żaden przybysz nie będzie przejeżdżał przez ziemie mojego królestwa.

Później władca zwrócił się do jednego z poddanych, którzy stali w pobliżu, i rozkazał:

— Zabrać tego medyka i jego zwierzęta! Zamknąć ich wszystkich w najbardziej strzeżonym więzieniu.

Sześciu strażników królewskich zaprowadziło doktora oraz wszystkie zwierzęta i zamknęło w kamiennym lochu. Budowla miała tylko jedno zakratowane okienko, które znajdowało się wysoko nad ziemią, a także ciężkie i grube drzwi.

Wszyscy się zasmucili, a świnka Geb-Geb nawet się rozpłakała. Gdy Czi-Czi zagroziła, że za chwilę da jej klapsa, jeśli nie przestanie wyć, od razu się uspokoiła.

— Nikogo nie brakuje? — spytał doktor, kiedy już przywykł do mrocznego światła.

— Chyba nie — odparła kaczka i zaczęła wszystkich wyliczać.

— A gdzie Polinezja? — spytał krokodyl. — Nie ma jej.

— Nie pomyliłeś się? — spytał doktor. — Sprawdź jeszcze raz! Polinezjo! Polinezjo! Gdzie jesteś?

— Pewnie uciekła — mruknął krokodyl. — To do niej podobne! Czmychnąć do dżungli, kiedy przyjaciele wpadli w tarapaty.

— Chyba nie o mnie mowa — odezwała się papuga, wychodząc z kieszeni płaszcza doktora. — Wiecie co? Jestem wystarczająco mała, żeby przecisnąć się przez kraty w tym oknie. Poza tym bałam się, że zamkną mnie w klatce. Więc gdy król był zajęty rozmową, ukryłam się w kieszeni płaszcza — no i jestem! To się nazywa „podstęp" — oświadczyła, wygładzając dziobem piórka.

„Jestem wystarczająco mała, żeby przecisnąć się przez kraty w tym oknie".

— Mój Boże! — wykrzyknął doktor. — Miałaś szczęście, że na ciebie nie usiadłem!

— Posłuchajcie! — powiedziała Polinezja. — Dziś wieczorem, jak tylko się ściemni, przecisnę się przez kraty i polecę do pałacu. A potem — sami zobaczycie — wymyślę sposób, by król wypuścił nas z więzienia.

— Ale czy ci się uda? — spytała Geb-Geb, pocierając ryjek i szykując się do płaczu. — Jesteś tylko papugą.

— Zgadza się — potwierdziła Polinezja. — Ale nie zapominajcie, że choć jestem tylko papugą, potrafię mówić jak człowiek — poza tym znam ludzkie obyczaje.

Tak więc tej nocy, gdy promienie księżyca prześwitywały przez liście drzewa palmowego i wszyscy strażnicy królewscy już spali, papuga przecisnęła się przez kraty w oknie i poleciała do pałacu. Tydzień wcześniej ktoś piłką tenisową wybił szybę w oknie pałacowej spiżarni, dlatego Polinezja mogła dostać się do środka.

Słyszała, jak książę Bumpo pochrapuje w swojej komnacie. Na pazurkach weszła cichutko po schodach i skierowała się do sypialni króla. Delikatnie otworzyła drzwi i zajrzała do środka.

Królowej nie było w pokoju. Pojechała na bal do kuzynki, ale król spał mocno w małżeńskim łożu.

Polinezja po cichu wkradła się do środka i weszła pod łóżko.

Wtedy kaszlnęła — tak jak robił to doktor Dolittle. Potrafiła wszystkich naśladować.

Władca otworzył oczy i spytał sennym głosem:

— To ty, Ermintrudo? — (Sądził, że to jego małżonka wróciła z balu).

Papuga ponownie zakaszlała — głośno jak mężczyzna. Król usiadł na łóżku zupełnie obudzony i spytał:

— Kto tu jest?

— Nazywam się doktor Dolittle — odezwała się papuga głosem doktora.

— Co robisz w moim łóżku?! — wykrzyknął król. — Jak śmiałeś uciec z więzienia? Gdzie jesteś? Nie widzę cię!

Ale Polinezja tylko się roześmiała — gromko i radośnie jak doktor.

— Przestań się śmiać i zaraz stamtąd wyłaź! Chcę cię zobaczyć! — rozkazał król.

— Jesteś niemądry, panie! — odpowiedziała Polinezja. — Zapomniałeś, że rozmawiasz z Johnem Dolittle'em, doktorem medycyny — najzdolniejszym człowiekiem na świecie? Naturalnie, że mnie nie widzisz. Sprawiłem, że jestem niewidzialny. Dla mnie nie ma rzeczy niemożliwych. Posłuchaj mnie, panie: przyszedłem cię ostrzec. Jeśli nie pozwolisz mi i moim zwierzętom przejechać przez twoje królestwo, wtedy ty i wszyscy twoi poddani zachorują na tę samą chorobę co małpy. Jestem bowiem władny leczyć ludzi i sprawiać, że chorują — wystarczy tylko, że kiwnę małym palcem. Każ strażnikom otworzyć lochy, inaczej zanim wstanie słońce nad wzgórzami Jolliginki, zachorujesz na świnkę.

Po tych słowach król zaczął drżeć i ogarnął go strach.

— Doktorze — wykrzyknął — będzie, jak mówisz! Nie kiwaj małym palcem, bardzo cię proszę! — Wyskoczył z łoża, pobiegł do strażników i rozkazał im otworzyć drzwi więzienia.

Gdy opuścił sypialnię, Polinezja chyłkiem zeszła na dół i przez okno w spiżarni wyfrunęła z pałacu.

Ale królowa, która właśnie wchodziła tylnymi drzwiami, zauważyła, jak papuga wylatuje przez okno. Gdy małżonek wrócił do sypialni, opowiedziała mu o wszystkim.

Wtedy król pojął, że dał się oszukać, i strasznie się rozzłościł. Od razu popędził do więzienia.

Jednak przybiegł za późno. Zastał otwarte drzwi — loch był pusty. Doktor i jego zwierzęta zniknęły.

ROZDZIAŁ SIÓDMY

MAŁPI MOST

Królowa Ermintruda jeszcze nigdy nie widziała małżonka tak rozzłoszczonego. Z wściekłości zgrzytał zębami. Wszystkich dookoła nazywał idiotami. Rzucił szczoteczką do zębów w pałacowego kota. Biegał po pałacu w nocnej koszuli i zbudził całą swoją armię. Rozkazał im udać się do dżungli i złapać doktora. Potem polecił to samo uczynić wszystkim poddanym: kucharzom, ogrodnikom, swojemu golibrodzie i nauczycielowi księcia Bumpo. Nawet królowa, która była udręczona tańcami w zbyt ciasnych butach, została odesłana, by pomóc żołnierzom w poszukiwaniach.

W tym czasie doktor i jego zwierzęta biegli przez las, ile sił w nogach, w kierunku Krainy Małp.

Geb-Geb na swoich krótkich nóżkach szybko się zmęczyła i doktor musiał ją nieść, co nie było łatwe, mieli bowiem ze sobą kufer i torbę.

Król Jolliginki sądził, że z łatwością uda się odnaleźć uciekinierów, gdyż doktor przebywał w nieznanym sobie kraju i nie znał tu żadnej drogi. Pomylił się jednak, bo małpka Czi-Czi znała wszystkie ścieżki w dżungli — nawet lepiej niż królewska gwardia. Zaprowadziła doktora i zwierzęta do najbardziej gęstej części lasu, do miejsca, gdzie jeszcze nikt nigdy nie był, i kazała im się ukryć w pniu wielkiego drzewa rosnącego pomiędzy wysokimi skałami.

— Przeczekamy tutaj — powiedziała — aż żołnierze nie wrócą do łóżek. Potem pomaszerujemy do Krainy Małp.

Przesiedzieli tam całą noc.

Często dochodziły ich głosy królewskich strażników przeszukujących dżunglę. Ale byli bezpieczni, gdyż jedynie Czi-Czi znała ich kryjówkę — nawet inne małpy o niej nie wiedziały.

Gdy pierwsze promienie słoneczne zaczęły prześwitywać przez liście nad ich głowami, usłyszeli, jak królowa Ermintruda oznajmiła znużonym głosem, że nie ma już sensu dalej szukać, że czas iść spać.

Kiedy wszyscy żołnierze sobie poszli, Czi-Czi wyprowadziła doktora i zwierzęta z ukrycia i wyruszyli do Krainy Małp.

Nie było widać końca drogi, a oni coraz częściej odczuwali zmęczenie — szczególnie Geb-Geb. Gdy zaczynała płakać, dawali jej mleko kokosowe, które było jej przysmakiem.

Jedzenia i picia mieli pod dostatkiem, Czi-Czi i Polinezja znały bowiem przeróżne gatunki owoców i warzyw rosnących w dżungli — takich jak daktyle i figi, orzeszki ziemne, imbir i bataty — i wiedziały, gdzie ich szukać.

Z soku dzikich pomarańczy przyrządzali lemoniadę i słodzili ją miodem, który znajdowali w pszczelich gniazdach w dziuplach. Czegokolwiek zapragnęli, Czi-Czi i Polinezja zawsze to dla nich zdobywały — albo coś podobnego. Pewnego dnia przyniosły doktorowi tytoń, gdy skończył mu się własny i miał ochotę zapalić.

W nocy spali w namiotach wykonanych z liści palmowych na grubych miękkich materacach z suchej trawy. A po jakimś czasie przywykli do marszu i nie męczyli się już tak bardzo. Życie podróżników zaczynało im odpowiadać.

Jednak kiedy nastawała noc, cieszyli się bardzo i zatrzymywali, by odpocząć. Wtedy doktor rozpalał ognisko, a gdy już zjedli kolację, zasiadali wokół niego i słuchali morskich piosenek Polinezji albo opowieści Czi--Czi o dżungli.

Wiele z jej opowiadań było bardzo interesujących. Choć małpy nie spisały swojej historii, zanim doktor Dolittle postanowił tego dokonać, nie zapomniały jej jednak, gdyż rodzice opowiadały ją dzieciom. A Czi-Czi mówiła o wielu wydarzeniach, o jakich usłyszała od dziadka — o dawnych, dawnych czasach, jeszcze przed Noem i potopem — o czasach, gdy ludzie chodzili odziani w niedźwiedzie skóry, mieszkali w skalnych jaskiniach i jadali surową baraninę, nie wiedzieli bowiem, co to gotowanie, i nigdy nie widzieli ognia. Opowiedziała im jeszcze o olbrzymich mamutach i jaszczurkach długich jak pociąg, które w tamtych czasach łaziły po górach, skubiąc czubki drzew. Często byli tak zasłuchani, że dopiero gdy skończyła, spostrzegali, że ogień zgasł. Wtedy rozbiegali się, by poszukać więcej patyków i rozpalić nowe ognisko.

Gdy wojsko królewskie powróciło do pałacu i król usłyszał, że nie znaleźli doktora, odesłał ich z powrotem i powiedział, że mają nie wracać, dopóki go nie znajdą. Przez cały czas za doktorem i zwierzętami zmierzającymi pewnym krokiem do Krainy Małp podążali królewscy żołnierze. Gdyby Czi-Czi o tym wiedziała, pewnie znowu poszukałaby dla nich jakiejś kryjówki. Ale nie miała o tym zielonego pojęcia.

Pewnego dnia papuga wdrapała się na wysoką skałę, wypatrując wierzchołków drzew. A kiedy zeszła na dół, poinformowała ich, że do Krainy Małp jest już niedaleko i wkrótce tam dotrą.

Tego samego dnia ujrzeli kuzyna Czi-Czi i wiele innych małp, które jeszcze nie zachorowały. Zwierzęta siedziały na drzewach nad brzegami moczarów, wypatrując i czekając na nich. A gdy zobaczyły sławnego lekarza, podniosły gromki wrzask, wiwatując, wymachując liśćmi i gałązkami na ich powitanie.

Chciały ponieść mu torbę i kufer, a także pozostałe rzeczy. Jedna z największych małp wzięła Geb-Geb, która ponownie opadła z sił. Dwie pobiegły przodem, by powiedzieć chorym towarzyszkom, że przyjechał wielki doktor.

Strażnicy królewscy, nadal zmierzający ich tropem, usłyszawszy małpie wiwatowanie, zorientowali się, gdzie jest doktor, i pospieszyli go złapać.

„Wiwatując, wymachując liśćmi i gałązkami na ich powitanie".

Wielka małpa, która niosła Geb-Geb, szła wolno z tyłu. Zauważyła kapitana armii, jak skrada się wśród drzew.

Uciekinierzy zaczęli biec tak szybko, jak niosły ich nogi, a oddziały królewskie podążały za nimi, także przyspieszając kroku, a najszybciej ze wszystkich biegł kapitan.

Doktor potknął się o swoją torbę lekarską i upadł w błoto. Wówczas kapitan pomyślał, że tym razem mu nie umknie.

Dowódca miał jednak bardzo długie uszy, natomiast krótkie włosy. Kiedy skoczył do przodu, aby złapać doktora, zahaczył jednym uchem o drzewo i reszta wojska musiała się zatrzymać, by mu pomóc.

Wtedy doktor podniósł się i wszyscy zaczęli pędem uciekać. Czi-Czi krzyknęła:

— Trzymajcie się! Już niedaleko!

Zanim znaleźli się w Krainie Małp, dotarli do stromego klifu. W dole płynęła rzeka, która stanowiła granicę królestwa Jolliginki. Po drugiej stronie rozciągała się Kraina Małp.

Jip spojrzał w dół znad stromego urwiska i powiedział:

— Kurczę! Nie przedostaniemy się na drugą stronę!

— O rany! — jęknęła Geb-Geb. — Królewscy strażnicy są już niedaleko, spójrzcie tylko! Boję się, że znowu wtrącą nas do więzienia. — I zaczęła płakać.

Wielka małpa, która niosła ją na ramionach, posadziła świnkę na ziemi i wykrzyknęła do swoich pobratymców:

— Przyjaciele, utwórzmy most! Szybko! Zbudujmy most! Mamy na to tylko minutę. Strażnicy zdołali uwolnić kapitana, który mknie za nami jak rączy jeleń. Żwawo! Trzeba zbudować most!

Doktor zaczął się zastanawiać, z czego małpy chcą zbudować most. Rozejrzał się, by sprawdzić, czy nie ukryły gdzieś jakichś desek. Ale gdy spojrzał na urwisko, zauważył, że wiszący most jest już gotowy — tworzył go łańcuch żywych małp! Przez moment, gdy stał odwrócony plecami, małpy błyskawicznie utworzyły most, chwytając się za ręce i stopy.

Wielka małpa krzyknęła do doktora:

„Ostatni przechodził doktor".

— Niech pan przechodzi! Przechodźcie wszyscy, szybko!

Geb-Geb trochę się bała, idąc na tak zawrotnej wysokości po wąskim moście spinającym brzegi rzeki, ale udało jej się przejść, podobnie jak jej towarzyszom.

Ostatni przechodził doktor. Gdy już był blisko drugiego brzegu, do urwiska dobiegli strażnicy królewscy.

Zaczęli wymachiwać pięściami i wrzeszczeć z wściekłości. Zrozumieli, że się spóźnili. Doktor i jego zwierzęta znaleźli się w Krainie Małp, a most został wciągnięty na drugą stronę.

Wtedy Czi-Czi zwróciła się do doktora:

— Wielu wybitnych badaczy i siwobrodych przyrodników przez tygodnie kryło się w dżungli w nadziei, że małpy zrobią tę sztuczkę. Do tej pory pilnowałyśmy, by żaden przybysz tego nie ujrzał. Pan pierwszy zobaczył słynny małpi most.

Słysząc te słowa, doktor poczuł ogromną dumę.

ROZDZIAŁ ÓSMY

PRZYWÓDCA LWÓW

John Dolittle miał ręce pełne roboty. Chorowały setki małp: goryle, orangutany, szympansy, pawiany o psich pyskach, marmozety[5], małpki szare i czerwone. Choroba dotknęła wszystkie gatunki. A wiele małp już zmarło.

Pierwsze, co zrobił, to oddzielił zwierzęta zdrowe od chorych. Następnie polecił Czi-Czi i jej kuzynowi postawić mały domek z trawy. Potem kazał wszystkim małpom, które jeszcze nie zachorowały, zaszczepić się.

Przez trzy dni i trzy noce małpy przychodziły z dżungli, z dolin i wzgórz do małego domku z trawy, gdzie doktor szczepił je przez cały dzień i całą noc.

Później polecił zbudować jeszcze jeden dom — tym razem duży, w którym znajdowało się wiele łóżek — i umieścił tam wszystkie chore małpy.

Jednak chorowało tak wiele stworzeń, że zabrakło tych, które mogłyby się nimi opiekować. Dlatego wysłał

---

[5] Marmozeta — południowoamerykańska małpa prowadząca nadrzewny tryb życia, poruszająca się na czworakach.

"Kazał wszystkim małpom, które jeszcze nie zachorowały,
zaszczepić się".

wiadomość do innych zwierząt: do lwów, lampartów i an-
tylop, by przyszły zaopiekować się chorymi.

Przywódca lwów był bardzo dumnym stworzeniem.
Kiedy pojawił się w domu doktora, gdzie stało wiele
łóżek, był zły i opryskliwy.

— Śmie mnie pan prosić, sir? — spytał, spoglądając
na doktora. — Śmie pan prosić mnie, króla zwierząt, bym
zajmował się stadem brudnych małpiszonów? Coś takiego! Nie wziąłbym ich nawet na ząb jako przystawkę!

Choć lew miał przerażającą minę, doktor starał się ze
wszystkich sił ukryć strach.

— Nie proszę, byś je jadł — odparł spokojnym tonem. — A poza tym nie są brudne. Wszystkie wzięły dziś rano kąpiel. Twoje futro natomiast wygląda tak, jakby wymagało szczotkowania — i to porządnego. A teraz posłuchaj, co ci powiem: może przyjdzie taki dzień, w którym zachorują lwy. I jeśli teraz nie pomożecie innym zwierzętom, twoi towarzysze poczują się opuszczeni, gdy będą potrzebować pomocy. To często przydarza się dumnym ludziom.

„Doktor starał się ze wszystkich sił ukryć strach".

— Lwy nigdy nie mają kłopotów. To one powodują kłopoty — powiedział przywódca z wyższością. Potem powolnym krokiem odszedł do dżungli z poczuciem, że zachował się mądrze i odważnie.

Później lekceważenie okazały lamparty. Oświadczyły, że także nie pomogą. A potem, naturalnie, antylopy — choć były zbyt strachliwe i nieśmiałe, by zachować się niegrzecznie w stosunku do doktora tak jak lew — pogrzebały kopytem i uśmiechnęły się wstydliwie. Oświadczyły, że nigdy nie były pielęgniarkami.

Wtedy doktor zaczął się poważnie martwić. Zastanawiał się, co zrobić, by zadbać o tysiące małp złożonych chorobą.

Gdy przywódca lwów wracał do pieczary, ujrzał swoją małżonkę, królową lwicę, która wybiegła mu na spotkanie z futrem w nieładzie.

— Jedno z dzieci nie chce jeść! Nie mam pojęcia, co robić. Od wczoraj wieczór nic nie jadło.

Rozpłakała się i zaczęła drżeć zdenerwowana — była z niej bowiem dobra matka, choć lwica.

Król lew wszedł do jaskini i spojrzał na dzieci, dwa bardzo przebiegłe lwiątka, które leżały na ziemi. Jedno z nich wyglądało na osłabione.

Dumny przekazał żonie ze szczegółami relację z rozmowy z doktorem. Lwica wpadła w tak straszną złość, że chciała wyrzucić go z jaskini.

— Nigdy nie miałeś za grosz rozumu! — wrzasnęła. — Wszystkie zwierzęta mieszkające stąd aż po Ocean Indyjski opowiadają o tym cudotwórcy, że potrafi wyleczyć każdą chorobę, mówią o jego dobroci. To jedyny człowiek na świecie, który zna język zwierząt! A teraz, teraz kiedy nasze dziecko choruje, ty idziesz tam i go obrażasz! Ty idioto! Tylko głupek zachowuje się niegrzecznie wobec dobrego lekarza. Ty... — I zaczęła wyrywać małżonkowi włosy. — Natychmiast do niego wracaj! — ryknęła. — Powiesz mu, że strasznie ci przykro. Zabierzesz ze sobą wszystkie durne lwy, a także te głupie lamparty i antylopy. A potem zrobisz to, co poleci ci doktor. Staraj się, jak tylko możesz! Wtedy może okaże się na tyle uprzejmy i przyjdzie obejrzeć nasze lwiątko. Ruszaj w drogę! Zabieraj się, no już! Nie nadajesz się na ojca!

Weszła do sąsiedniej jaskini, gdzie mieszkała inna matka lwica, i opowiedziała jej o wszystkim.

Przywódca lwów poszedł więc do doktora i zagaił:

— Tak przypadkiem przechodziłem sobie tędy i pomyślałem, że może wpadnę. Znalazł już pan kogoś do pomocy?

— Nie — odparł doktor. — Jeszcze nie. Strasznie mnie to martwi.

— W dzisiejszych czasach trudno o pomoc — odparł lew. — Zwierzęta już nie chcą pracować. Nie może ich pan za to winić. No cóż... w związku z pana kłopotami... że znam się na swojej robocie... postanowiłem wyświadczyć panu przysługę — ale pod warunkiem, że nie będę musiał ich myć! Poza tym rozkazałem wszystkim innym drapieżnikom, by przyszły i też zrobiły, co do nich należy. Zaraz będą tu lamparty. Aha, przy okazji: mój synek zachorował. To chyba nic groźnego, ale moja żona się niepokoi. Jeśli dziś wieczorem miałby pan chwilkę, może by pan go obejrzał, dobrze?

Doktor bardzo się ucieszył, gdyż wszystkie lwy, żyrafy i zebry — wszystkie zwierzęta mieszkające w lesie, górach i na równinach — przyszły pomóc mu w pracy. Zjawiło się ich tak dużo, że niektóre musiał odesłać z powrotem. Zatrzymał tylko te najinteligentniejsze.

Małpy szybko zaczęły wracać do zdrowia. Pod koniec tygodnia wielki dom z łóżkami był już w połowie pusty. A pod koniec drugiego tygodnia wyzdrowiała ostatnia małpa.

Wtedy doktor zakończył pracę. A był tak zmęczony, że poszedł do łóżka i spał przez trzy dni. I nawet nie przewrócił się na drugi bok.

ROZDZIAŁ DZIEWIĄTY

MAŁPIA NARADA

Przed drzwiami doktora stała Czi-Czi i pilnowała, by nikt mu nie przeszkadzał. Kiedy się obudził, powiedział małpom, że musi wracać do Puddleby.

Gdy usłyszały jego słowa, bardzo się zdziwiły. Sądziły bowiem, że zostanie z nimi na zawsze. Tego wieczoru wszystkie zebrały się w dżungli, by omówić zaistniałą sytuację.

Wódz szympans wstał i powiedział:

— Dlaczego dobry człowiek wyjeżdża? Czy nie jest pośród nas szczęśliwy?

Jednak żadna małpa nie potrafiła odpowiedzieć na jego pytanie.

Potem wstał wielki goryl i odezwał się w ten sposób:

— Chyba powinniśmy pójść do niego i poprosić, by został. Może jak zbudujemy mu nowy dom, zrobimy większe posłanie i obiecamy małpich służących, którzy będą za niego pracowali i uprzyjemniali mu życie, może wtedy porzuci pomysł wyjazdu.

Kiedy Czi-Czi się podniosła, rozległ się szept:

„Potem wstał wielki goryl".

— Ciii! Patrzcie! To Czi--Czi, wielka podróżniczka! Chce przemówić!

A małpka powiedziała do swych pobratymców:

— Przyjaciele, obawiam się, że nic nie wskóracie. Doktor pożyczył pieniądze w Puddleby i uważa, że musi wrócić, by je oddać.

A małpy spytały ją:

— Co to są „pieniądze"?

Wtedy Czi-Czi wyjaśniła, że w ich kraju nic nie można zrobić bez pieniędzy — że życie bez pieniędzy jest prawie niemożliwe.

A niektóre z nich dziwiły się:

— To znaczy, że nie możecie jeść i pić bez pieniędzy?

Czi-Czi kiwnęła głową i dodała, że nawet ona, pracując u kataryniarza, musiała prosić dzieci o pieniądze.

Wódz szympans odwrócił się do najstarszego orangutana i powiedział:

— Musisz przyznać, kuzynie, że ci ludzie to dziwne stworzenia! Któż by chciał żyć w takiej krainie? Wielkie nieba, co za dziwactwo!

A Czi-Czi ciągnęła:

— Kiedy postanowiliśmy do was przybyć, nie mieliśmy nawet czym przepłynąć morza. Nie mieliśmy też pieniędzy na prowiant potrzebny podczas wyprawy. Wtedy pożyczyliśmy statek od marynarza, ale rozbił się na skałach u wybrzeży Afryki. Teraz doktor uważa, że musi wrócić i odkupić statek marynarzowi, bo to biedny człowiek, a ta łajba stanowiła cały jego majątek.

Małpy umilkły na chwilę. Siedziały cicho i intensywnie myślały.

Po chwili wstał największy pawian i przemówił do wszystkich:

— Nie pozwolimy temu dobremu człowiekowi opuścić naszej krainy, dopóki nie otrzyma od nas porządnego prezentu. Niech wie, że jesteśmy wdzięczni za to, co dla nas uczynił.

A mała ruda małpka, która siedziała na drzewie, pisnęła:

— Też tak uważam!

Wtedy zwierzęta zaczęły się przekrzykiwać, a w tym rwetesie dały się słyszeć następujące głosy:

— Tak, tak. Musimy zrobić mu najpiękniejszy prezent na świecie!

Zaczęły się zastanawiać i pytać wzajemnie, co najlepiej mu dać. Jedna z nich zaproponowała:

— Pięćdziesiąt toreb orzechów kokosowych.

Inna rzuciła:

— Sto kiści bananów! Przynajmniej nie będzie musiał kupować owoców w Krainie, Gdzie Trzeba Płacić, By Jeść.

Czi-Czi wyjaśniła wszystkim, że proponowane prezenty są za ciężkie, by przewozić je tak daleko, poza tym zepsują się w drodze, zanim połowa zostanie zjedzona.

— Jeśli chcecie sprawić mu przyjemność — podsunęła — podarujcie mu jakieś zwierzę. Na pewno się ucieszy. Dajcie mu jakieś nieznane stworzenie, jakiego nie spotyka się w ogrodach zoologicznych.

Po tych słowach małpy spytały:

— A co to są „ogrody zoologiczne"?

Czi-Czi wyjaśniła, że to są takie miejsca w krainie Europejczyków, gdzie zwierzęta zamyka się w klatkach, a ludzie przychodzą je tam oglądać.

Małpy osłupiały ze zdumienia. Mówiły do siebie:

— Ci ludzie przypominają nasze bezmyślne dzieci — są głupi i łatwo ich rozbawić. Coś takiego! To znaczy, że to jest więzienie.

Wtedy spytały Czi-Czi, jakie zwierzę powinny podarować doktorowi, ale takie, jakiego jeszcze Europejczycy nie widzieli. Burmistrz małych marmozet spytał:

— A znają tam iguanę?

Czi-Czi odparła:

— Tak. Jest jedna w londyńskim zoo.

Inna małpa spytała:

— A mają okapi?

A Czi-Czi odpowiedziała:

— Tak. W Belgii, dokąd pięć lat temu zabrał mnie kataryniarz, trzymali okapi w takim dużym mieście, które nazywało się Antwerpia.

Jeszcze inna spytała:

— A mają dwugłowca?

Wtedy Czi-Czi odrzekła:

— Nie. Żaden przybysz jeszcze nigdy nie widział tego zwierzęcia. Podarujcie mu więc dwugłowca!

ROZDZIAŁ DZIESIĄTY

NAJRZADSZE ZE WSZYSTKICH ZWIERZĄT

Dwugłowce wymarły przed bardzo wielu laty. To znaczy, że obecnie nie żyje już żaden przedstawiciel tego gatunku. Ale dawno temu, w czasach doktora Dolittle'a, żyło jeszcze kilka okazów, które zamieszkiwały odległe krańce afrykańskiej dżungli. Choć nawet wówczas występowały bardzo, ale to bardzo rzadko. Zwierzęta te nie miały ogona, za to głowy na obu końcach ciała ozdobione ostrymi rogami. Były bardzo płochliwe i strasznie trudno było je złapać. Afrykanie łapali wszystkie zwierzęta, zachodząc je od tyłu, kiedy ich nie widziały. Ale z dwugłowcem ta sztuczka się nie udawała — gdyż niezależnie od tego, z której strony wychodziło się mu naprzeciw, zawsze patrzył na człowieka. Poza tym spała tylko jedna jego połowa — druga głowa zawsze czuwała i obserwowała, co się dzieje. Dlatego nie można było ich złapać, a w konsekwencji oglądać w ogrodzie zoologicznym. Wielu największych myśliwych i najsprytniejszych właścicieli zoo poświęciło wiele lat życia na poszukiwanie tego zwierzęcia. Czatowali w dżungli, nie zważając na pogodę, ale i tak nie złapali ani jednego dwugłowca. Nawet w tamtych czasach, wiele lat temu, żyło na świecie tylko jedno zwierzę z dwoma głowami.

Dlatego małpy wyruszyły do lasu na polowanie. A gdy przeszły już wiele mil, jedna z nich natrafiła na dziwne ślady nad rzeką. Wiedziały, że gdzieś tutaj musi być dwugłowiec.

Tropiły wzdłuż brzegu i zauważyły miejsce, gdzie trawa była gęsta i wysoka. Podejrzewały, że tam może chować się to zwierzę.

Dlatego chwyciły się za ręce, tworząc krąg wokół wysokiej trawy. Dwugłowiec usłyszał ich kroki. Próbował przebić się przez małpi krąg, ale mu się nie udało. Kiedy zorientował się, że nie ma szansy uciec, usiadł, czekając, co zrobią intruzi.

Małpy spytały, czy zechce pojechać z doktorem Dolittle'em do dalekiego kraju, gdzie zostanie wystawiony na pokaz.

Jednak zwierzak potrząsnął dwiema głowami i odparł:

— Nie ma mowy!

Powiedziały mu, że nie zamkną go w ogrodzie zoologicznym tylko po to, by ludzie mogli go oglądać. Wyjaśniły, że doktor jest bardzo dobrym człowiekiem, ale nie ma pieniędzy, dlatego ludzie będą płacili, by oglądać dwugłowe zwierzę, a doktor się wzbogaci i będzie mógł zapłacić za statek, który pożyczył, by przypłynąć do Afryki.

Jednak on znowu odpowiedział:

— Nie zgadzam się. Wiecie, jaki jestem nieśmiały. Nie cierpię, kiedy ktoś się na mnie gapi. — Widać było, że zbiera mu się na płacz.

Małpy przez trzy dni starały się go przekonać. Pod koniec trzeciego dnia powiedział, że pojedzie z doktorem, ale najpierw sprawdzi, jakim jest on człowiekiem.

Dlatego małpy zabrały go ze sobą. A gdy przyszły do domku, w którym mieszkał doktor, zapukały do drzwi.

Kaczka, która pakowała kufer, zawołała:

— Proszę!

Czi-Czi z dumą wprowadziła zwierzę i pokazała je doktorowi.

— A cóż to, na Boga, jest? — spytał John Dolittle, przyglądając się dziwnemu stworzeniu.

— Jezus, Maria! — wykrzyknęła kaczka. — Czy to coś umie myśleć?

— Nie wygląda mi na to — rzekł Jip.

— To coś — wyjaśniła Czi-Czi — nazywa się dwugłowiec i jest najrzadszym zwierzęciem żyjącym w afrykańskiej dżungli, jedynym dwugłowym stworzeniem na świecie! Niech go pan zabierze ze sobą, a szybko zbije pan majątek.

— Ale ja nie potrzebuję pieniędzy — oznajmił doktor.

— A właśnie, że tak — powiedziała kaczka Dab-Dab. — Czy już pan zapomniał, jak wysupłaliśmy ostatnie grosiki, by zapłacić rzeźnikowi w Puddleby? A za co zamierza pan kupić marynarzowi nowy statek, o którym pan wspomniał, jeśli nie będziemy mieli pieniędzy?

— Miałem zamiar sam go zbudować — odparł doktor.

„Jezus, Maria! — wykrzyknęła kaczka. — Czy to coś umie myśleć?"

— Och, niech pan będzie rozsądny! — wykrzyknęła Dab-Dab. — A skąd pan weźmie drewno i gwoździe na jego budowę? Poza tym, z czego będziemy żyli? Kiedy wrócimy do domu, będziemy jeszcze biedniejsi. W stu procentach zgadzam się z Czi-Czi: niech pan bierze tego dziwoląga!

— No cóż, może i masz trochę racji — mruknął Dolittle. — Na pewno wzbudzi zainteresowanie. Ale czy... to coś naprawdę chce stąd wyjechać?

— Tak. Chcę — odparł dwugłowiec, który wyczytał z twarzy doktora, że można mu zaufać. — Okazał pan tyle dobroci wszystkim tym zwierzętom. Poza tym małpy mówiły, że tylko ja mogę panu pomóc. Ale musi pan

obiecać, że jeśli nie spodoba mi się w pańskim kraju, ode-
śle mnie pan z powrotem.

— Nie ma obawy, oczywiście, oczywiście — odparł
doktor. — Przepraszam, jesteś spokrewniony z rodziną
jeleniowatych, zgadza się?

— Zgadza się — potwierdził dwugłowiec. — Z abi-
syńskimi gazelami i azjatyckimi kozicami ze strony mat-
ki. Dziadek ze strony ojca był ostatnim przedstawicielem
jednorożców.

— Niezwykle interesujące! — mruknął doktor. Wyciągnął z kufra książkę i zaczął przewracać strony. — Zobaczmy, czy Buffon pisze coś na ten temat.

— Zauważyłam — wtrąciła kaczka — że mówisz tylko jednym pyskiem. Czy drugim też potrafisz?

— Oczywiście — odparł dwugłowiec. — Ale drugi
na ogół służy mi do jedzenia. W ten sposób mogę mówić
podczas jedzenia, nie obrażając nikogo. Moja rodzina
zawsze przykładała wielką wagę do kulturalnego zacho-
wania.

Gdy skończono pakowanie i wszystko było gotowe do
podróży, małpy wydały wspaniałe przyjęcie na cześć
doktora. Przybyły wszystkie zwierzęta żyjące w dżungli.
Przyniosły ze sobą ananasy, mango, miód i mnóstwo innych smakołyków.

Gdy już skończyli biesiadę, doktor wstał i przemówił:

— Przyjaciele! Jak każdy, po kolacji nie potrafię wy-
myślić nic mądrego. A właśnie zjadłem dużo owoców
i miodu. Jednak pragnę wam powiedzieć, że ogromnie
się smucę, opuszczając wasz piękny kraj. W krainie

Europejczyków czekają mnie obowiązki, dlatego muszę jechać. Kiedy stąd wyjadę, pilnujcie, by muchy nie siadały na jedzeniu, a podczas pory deszczowej nie śpijcie na ziemi. Mam... mam nadzieję, że będziecie żyli długo i szczęśliwie.

Po skończonym przemówieniu małpy długo klaskały i mówiły do siebie:

— Musimy zrobić wszystko, by tubylcy pamiętali tę chwilę, gdy siedział i biesiadował z nami w cieniu drzew. Bez wątpienia to jeden z największych ludzi na świecie!

A wielki goryl o owłosionych ramionach, który miał siłę siedmiu koni, przyciągnął do stołu olbrzymi głaz i powiedział:

— Niech ten kamień na zawsze oznaczy to miejsce.

Po dzień dzisiejszy w samym sercu dżungli stoi kamień. A małpie mamy, skacząc z gałęzi na gałąź, nadal pokazują na niego i szepcą swym dzieciom:

— Ciii! Spójrzcie tylko, tam siedział dobry doktor i jadł z nami w roku wielkiej epidemii!

Kiedy przyjęcie dobiegło końca, doktor i jego zwierzęta wyruszyli ku brzegowi morza. Wszystkie małpy odprowadziły go aż do granicy swego państwa, dźwigając jego kufer i torby. Chciały go bowiem godnie pożegnać.

ROZDZIAŁ JEDENASTY

NASTĘPCA TRONU

Wszyscy zatrzymali się nad brzegiem rzeki i zaczęli się żegnać. Trochę czasu im to zajęło, gdyż tysiące małp pragnęło uścisnąć dłoń Johnowi Dolittle'owi.

Kiedy doktor wraz ze swymi zwierzętami ruszył dalej, Polinezja powiedziała:

— Musimy stąpać ostrożnie i mówić po cichu, bo przechodzimy przez państwo Jolliginki. Jeśli król nas usłyszy, wyśle po nas żołnierzy, którzy ponownie nas złapią, bo z pewnością nadal jest bardzo zły z powodu podstępu, jakiego użyłam.

— Tak się zastanawiam — odezwał się doktor — skąd weźmiemy statek, którym wrócimy do domu. A może znajdziemy jakiś porzucony na plaży, nikomu niepotrzebny.

Pewnego dnia przechodzili przez bardzo gęsty las. Czi-Czi szła z przodu i szukała orzechów kokosowych. A kiedy się znacznie oddaliła, doktor i pozostałe zwierzęta, które nie znały tak dobrze ścieżek w dżungli, zgubili się w leśnym gąszczu. Chodzili w kółko, lecz nie potrafili odnaleźć drogi prowadzącej nad brzeg morza.

Kiedy Czi-Czi straciła ich z oczu, strasznie się zdenerwowała. Wspinała się na wysokie drzewa, próbując dostrzec cylinder doktora, machała rękami i krzyczała, wołała wszystkie zwierzęta po imieniu. Ale to i tak na nic się zdało. Wydawało się, że rozpłynęli się w powietrzu.

A oni zupełnie stracili orientację. Znacznie zboczyli z trasy, a krzewy, liany i pnącza rosły w dżungli tak gęsto, że w niektórych miejscach prawie nie mogli się ruszyć i doktor musiał nożem wycinać sobie drogę. Znaleźli się na wilgotnym, bagnistym terenie. Zaplątali się w gęsty, pnący powój, podrapali o kolce, a dwa razy w zaroślach prawie by zgubili torbę z lekarstwami. Ich kłopotom nie było końca i nie mogli trafić na właściwą ścieżkę.

Przez wiele dni chodzili po omacku. Mieli podarte ubrania, a twarze ubrudzone błotem. Przez pomyłkę weszli do ogrodu króla. Wówczas królewscy strażnicy podbiegli i otoczyli ich.

Polinezja — niezauważona przez nikogo — pofrunęła na drzewo i ukryła się wśród gałęzi. Doktor i reszta zwierząt zostali zaprowadzeni przed królewskie oblicze.

— Cha, cha! — zaśmiał się władca. — Więc znowu daliście się złapać. Tym razem nie uda wam się uciec. Zaprowadzić ich do więzienia! Załóżcie na drzwi podwójne zamki. Ten cudzoziemiec przez resztę życia będzie szorował podłogę w kuchni!

Doktor i jego zwierzęta zostali zaprowadzeni do więzienia, a w zamkach zazgrzytał klucz. Doktorowi oznajmiono, że rano czeka go szorowanie królewskiej podłogi.

Wszystkich ogarnął straszny smutek.

— Znaleźliśmy się w ogromnych tarapatach — oznajmił doktor. — A przecież muszę wracać do Puddleby. Jeśli szybko nie dotrę do domu, ten biedak, marynarz, pomyśli, że ukradłem mu statek… Tak się zastanawiam, czy te zawiasy nie są czasem luźne.

Jednak drzwi były bardzo mocne i dobrze zamknięte. Nie istniała możliwość ucieczki. Wtedy Geb-Geb ponownie wybuchnęła płaczem.

Przez cały ten czas Polinezja siedziała na drzewie w pałacowym ogrodzie. Nie odzywała się i tylko mrugała. To zawsze był zły znak. Gdy siedziała cicho i mrugała, to znaczyło, że ktoś wpędził ich w kłopoty, a ona obmyśla sposób, jak się z nich wydostać. Ludzie, którzy przysparzali problemów Polinezji i jej przyjaciołom, zawsze potem gorzko tego żałowali.

Papuga zaczęła się przyglądać, jak Czi-Czi skacze z gałęzi na gałąź, nadal szukając doktora. Gdy małpka ją zauważyła, wdrapała się na drzewo, na którym siedziała papuga, i spytała, co się stało z doktorem.

— Doktor ze zwierzętami został uwięziony przez królewskich strażników i ponownie zamknięty — szepnęła. — Zgubiliśmy się w dżungli, a oni przez pomyłkę weszli do królewskiego ogrodu.

— A dlaczego ich nie prowadziłaś? — spytała Czi-Czi i zaczęła ganić swoją towarzyszkę za to, że pozwoliła im się zgubić, gdy ona poszła szukać orzechów kokosowych.

— To wszystko wina tej niemądrej świnki — oświadczyła Polinezja. — Cały czas zbaczała ze ścieżki, udając, że szuka korzeni świeżego imbiru. A ja byłam tak zajęta. Ciągle musiałam ją upominać i zawracać, więc kiedy doszliśmy do trzęsawiska, zamiast skręcić w prawo, skręciłam w lewo. Ciii! Patrz! Książę Bumpo wchodzi do ogrodu! Nie może nas zobaczyć. Nie ruszaj się!

Nie było wątpliwości. To właśnie książę Bumpo, następca tronu, wchodził do ogrodu. Pod pachą ściskał książkę z bajkami. Wolnym krokiem stąpał po żwirze, podśpiewując sobie jakąś rzewną piosenkę. Doszedł do kamiennej ławy stojącej pod drzewem, gdzie ukryły się papuga i małpka. Położył się na ławie i zaczął czytać książkę.

Czi-Czi i Polinezja nie spuszczały go z oka, zachowując się bardzo cicho i dyskretnie.

— Czi-Czi — szepnęła papuga. — Przyszedł mi do głowy pewien pomysł: może go zahipnotyzuję.

— A co to znaczy? — spytała szeptem Czi-Czi.

— Hipnoza to coś w rodzaju snu. Kto znajduje się w stanie hipnozy, zrobi wszystko, co mu każą, nawet kiedy już się obudzi. Jeśli uda mi się wprowadzić księcia w taki trans, rozkażę mu otworzyć więzienie i wypuścić doktora!

— No to warto spróbować — odrzekła Czi-Czi. — Co mam robić?

— Patrz tylko, co robię, i siedź cicho — szepnęła Polinezja. Bardzo delikatnie ześlizgnęła się po gałęzi i przysunęła bliziutko księcia. Chwyciła małą gałązkę i zaczęła wymachiwać mu nią przed nosem, wydając jakieś dziwne dźwięki.

81

Książę Bumpo wpatrywał się w gałązkę, która ruchem wahadełka przesuwała się w tę i z powrotem, i szybko zaczął zamykać oczy. Po chwili Polinezja przemówiła cichym, kojącym głosem:

— Bumpo, książę Bumpo, musisz coś zrobić!

Następca tronu uśmiechnął się delikatnie przez sen.

— W więzieniu twego ojca — ciągnęła papuga — znalazł się sławny czarownik, a nazywa się John Dolittle. Jest wielkim znawcą medycyny i magii. Dokonał wielu niezwykłych czynów. Jednak twój ojciec, król, postanowił wtrącić go do więzienia na długi czas. Kiedy zajdzie słońce, w tajemnicy pójdziesz do czarownika, waleczny Bumpo. Ale wcześniej przygotuj mu statek, którym będzie mógł odpłynąć z nieprzyjaznej dla niego krainy. Następnie otwórz bramy więzienia. Uwolnij wielkiego czarownika i jego zwierzęta!

Jeszcze raz książę uśmiechnął się przez sen.

ROZDZIAŁ DWUNASTY

MEDYCYNA I MAGIA

Po cichutku, upewniwszy się, że nikt jej nie widzi, Polinezja wymknęła się z ogrodu i pośpieszyła do więzienia.

Zobaczyła świnkę Geb-Geb, jak wystawia ryjek przez kraty w oknie, próbując wywęszyć obiadowe zapachy dochodzące z pałacowej kuchni. Papuga kazała jej przyprowadzić doktora, który właśnie drzemał.

— Niech pan posłucha — szepnęła, gdy ujrzała twarz doktora. — Książę Bumpo poszedł szukać statku dla pana. Pojawi się tu w nocy i otworzy bramy więzienia. Niech wszyscy czekają gotowi.

— Jak, u diaska... — zaczął Dolittle, ale papuga syknęła tylko:

— Cicho! Straż idzie! — Po tych słowach odleciała.

Jak zapowiedziała Polinezja, w mroku nocy pojawił się książę.

— Witaj, wielki czarowniku! — powiedział. — Przyszedłem cię uwolnić, a nad brzegiem morza czeka na was statek.

Wyciągnął z kieszeni pęk miedzianych kluczy i otworzył ogromne podwójne zamki. Doktor i jego zwierzęta wybiegli z więzienia co sił w nogach. Pobiegli nad brzeg morza. Zostawili Bumpo opartego o ścianę lochu. Książę stał i uśmiechał się radośnie.

Kiedy doszli do plaży, zobaczyli Polinezję i Czi-Czi. Czekały na nich na skałach blisko statku. Dwugłowiec, biała myszka, Geb-Geb, Dab-Dab, Jip i sowa Tu-Tu razem z doktorem weszli na pokład. Czi-Czi, Polinezja i krokodyl pozostali na brzegu. Afryka bowiem była ich domem, krainą, w której się urodzili.

A gdy doktor postawił stopę na statku i spojrzał na morze, zrozumiał, że nie mają przewodnika, który wskaże im drogę do Puddleby!

Ogromne, ogromne morze w blasku księżyca sprawiało wrażenie bezkresnego pustkowia. Wówczas doktor zaczął się zastanawiać, czy nie zboczą z kursu, gdy stracą ląd z oczu.

Kiedy tak rozmyślał, w ciemności dał się słyszeć dziwny szum. Zwierzęta przestały się żegnać i zaczęły nadsłuchiwać.

Niesamowity szum narastał. Stawał się coraz bliższy — przypominał jesienny wiatr poruszający liśćmi topoli albo wielką ulewę uderzającą o dach.

A Jip z uniesionym nosem i wyprostowanym ogonem wykrzyknął:

— To ptaki! Miliony lecących szybko ptaków!

Wszyscy podnieśli głowy. Na tle tarczy księżyca ujrzeli tysiące małych ptaszków przypominających chmarę maleńkich mrówek. Wkrótce przesłoniły całe niebo. A nadlatywało ich wciąż więcej i więcej.

Było ich tak dużo, że na chwilę zasłoniły księżyc, a wtedy morze zrobiło się mroczno czarne, jak dzieje się wówczas, gdy burzowa chmura przesłoni słońce.

Po chwili ptaki jeszcze bardziej obniżyły swój lot — unosiły się tuż nad powierzchnią wody i ziemi. Niebo znowu zrobiło się przejrzyste, a księżyc świecił jak przedtem. Ptaki nie wydawały żadnych dźwięków ani krzyków, ani świergotu, tylko trzepot ich skrzydeł stawał się coraz głośniejszy. Kiedy zaczęły siadać na piasku, na linach statku — wszędzie, gdzie było miejsce, tylko nie na drzewach — doktor zauważył ich błękitne skrzydła, białe brzuszki i bardzo krótkie, opierzone nogi. Jak tylko zdołały usiąść, nagle wokół ucichło. Zapanowała niesamowita cisza.

I w tej ciszy, oświetlony blaskiem księżyca, przemówił doktor Dolittle:

— Nie zdawałem sobie sprawy, że tyle czasu spędziliśmy w Afryce. Gdy dopłyniemy do domu, będzie prawie lato. Te jaskółki wracają właśnie z ciepłych krajów. Dziękuję wam, jaskółeczki, że zechciałyście na nas poczekać! Dziękuję za waszą troskę! Teraz nie musimy się obawiać, że się zgubimy... wciągnąć kotwicę i postawić żagle!

Kiedy statek ruszył, Czi-Czi, Polinezja i krokodyl, którzy stali na brzegu, zasmucili się bardzo. Nikogo w swoim życiu tak nie kochali jak doktora Dolittle'a z Puddleby.

„…roniąc potoki łez i wymachując rękami,
dopóki nie zniknął za horyzontem".

Pożegnanie trwało dobrą chwilę, a gdy statek znalazł
się na pełnym morzu, zwierzęta stały nieruchomo na
skałach, roniąc potoki łez i wymachując rękami, dopóki
nie zniknął za horyzontem.

ROZDZIAŁ TRZYNASTY

SZKARŁATNE ŻAGLE
I BŁĘKITNE SKRZYDŁA

Kierując się w stronę Anglii, statek doktora musiał płynąć wzdłuż wybrzeża Maghrebu, które stanowi kraniec wielkiej pustyni. Jest to dziki, opustoszały obszar pokryty jedynie piaskiem i kamieniami. I tu właśnie mieszkali piraci Maghrebu.

Ci piraci, straszne rzezimieszki, czyhali na brzegu na żeglarzy i rozbitków. Często zdarzało się, że widząc jakiś statek, wypływali na pełne morze na szybko mknących okrętach i zaczynali swoje polowanie. Gdy zatrzymali statek, okradali go do cna. A kiedy już uprowadzili załogę, zatapiali statek i powracali do Maghrebu. Śpiewali przy tym pirackie pieśni i pysznili się swym niegodziwym uczynkiem. Następnie zmuszali porwanych, by napisali do domu list z prośbą o pieniądze. A jeśli ich najbliżsi nie przysłali ani grosza, często zdarzało się, że piraci wyrzucali swoje ofiary za burtę.

Był jasny, słoneczny poranek. Doktor i Dab-Dab przechadzali się po pokładzie, aby zaczerpnąć świeżego powietrza. Lekki, ożywczy wiatr dmuchał w żagle i wszyscy odczuwali błogą radość. Po chwili kaczka ujrzała na horyzoncie żagle jakiegoś statku. Żagle owe miały szkarłatną barwę.

— Nie podobają mi się te żagle — powiedziała Dab-Dab. — Mam przeczucie, że nic dobrego nam nie wróżą. Obawiam się, że czekają nas kłopoty.

Obok leżał Jip. Właśnie wylegiwał się na słońcu. Zaczął warczeć i mówić przez sen.

— Czuję zapach pieczonej wołowiny — wymamrotał. — Lekko niedopieczonej, ociekającej ciemnym sosem.

— Wielkie nieba! — wykrzyknął doktor. — Co się z tym psem dzieje? Czy to możliwe, żeby wyczuwał zapachy przez sen?

— Chyba tak — odparła Dab-Dab. — Wszystkie psy to potrafią.

— Ale skąd zwęszył mięso? — spytał doktor. — Na naszym statku nikt nie piecze wołowiny.

— To prawda — potwierdziła kaczka. — Pewnie na tamtym statku ją pieką.

— Ale on jest dziesięć mil od nas! — zdumiał się doktor. — Przecież na taką odległość nie wyczuje zapachu, to pewne!

— Nie zgadzam się — zaoponowała Dab-Dab. — Niech pan sam go o to spyta.

Wtedy Jip, śpiący twardym snem, znowu zaczął warczeć i ze złością wyszczerzył zęby.

— Wyczuwam złych ludzi — warknął. — Najgorszych, jakich dotąd wywęszyłem. Czuję kłopoty. Szykuje się walka. Sześciu niegodziwych drani przeciwko jednemu porządnemu człowiekowi. Muszę mu pomóc. Hau, hau, hau! — Zaczął przeraźliwie szczekać i obudził się, a na jego pysku malowało się ogromne zdziwienie.

— Patrzcie! — wykrzyknęła Dab-Dab. — Ten statek już jest bliżej! Widać trzy duże żagle! Bez względu na to, kto to jest, gonią nas... Jestem ciekawa dlaczego.

— To źli żeglarze — powiedział Jip — i mają bardzo szybki statek. To pewnie piraci z Maghrebu.

— No to musimy wciągnąć więcej żagli — oświadczył doktor — żebyśmy szybciej płynęli. Wtedy im uciekniemy. Biegnij pod pokład, Jip, i przynieś wszystkie żagle, jakie znajdziesz. — Pies pobiegł na dół i przyciągnął wszystkie żagle, jakie mógł znaleźć.

Ale nawet wówczas, gdy zostały wciągnięte na maszty, ich statek i tak nie płynął tak szybko jak piracki, który z każdą chwilą coraz bardziej się do nich przybliżał.

— Książę ofiarował nam kiepską łajbę — stwierdziła Geb-Geb. — Pewnie najwolniejszą, jaką miał. Równie dobrze można próbować wygrać wyścig w wazie do zupy, jak mieć nadzieję, że umkniemy na niej korsarzom. Spójrzcie, jak są już blisko! Widać nawet, że sześciu z nich nosi wąsy. Co robimy?

Doktor poprosił kaczkę, by poleciała powiedzieć jaskółkom, że piraci ścigają ich na szybkim statku. Poprosił je o radę, co powinien teraz zrobić.

Gdy jaskółki o tym usłyszały, zleciały wszystkie na pokład. Kazały rozplątać długie liny i jak najszybciej zrobić z nich dużo cienkich sznurków. Potem jedne końce

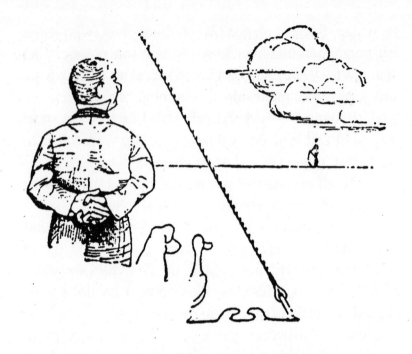

„To pewnie piraci z Maghrebu".

tych sznurków przywiązały do burty, a drugie chwyciły
i wzbiły się w powietrze, ciągnąc statek za sobą.

A choć nie są to silne ptaki, gdy występują w pojedyn-
kę albo parami, to gdy jest ich cała chmara, sytuacja ulega
radykalnej zmianie. Tysiąc sznurków przywiązano do
statku, a dwa tysiące jaskółek ciągnęło każdy z nich.
Wszystkie okazały się niezwykle szybkimi lotnikami.

Chwilę później doktor zauważył, że mkną tak szybko,
iż musi przytrzymywać cylinder dwiema rękami. Miał
wrażenie, jakby statek unosił się ponad pieniącymi się
i kłębiącymi się z prędkości falami.

Wszystkie zwierzęta na statku zaczęły się śmiać i tańczyć pośród podmuchów wiatru, gdy bowiem spojrzały na piracki statek, widziały, jak staje się coraz mniejszy i mniejszy. Szkarłatne żagle pozostały daleko w tyle za nimi.

ROZDZIAŁ CZTERNASTY

OSTRZEŻENIE
SZCZURÓW

Ciągnięcie statku to niełatwe zadanie. Dlatego po dwóch czy trzech godzinach skrzydła jaskółek osłabły, a ich oddech stał się krótki. Wysłały doktorowi wiadomość, w której poinformowały go, że potrzebują odpoczynku i zaciągną statek do brzegów położonej niedaleko wyspy. Ukryją go tam w głębokiej zatoce i odczekają, aż złapią oddech i będą mogły kontynuować pracę.

Po chwili doktor ujrzał wyspę, o której mówiły. Pośrodku niej wznosiła się bardzo piękna zielona góra.

Statek bezpiecznie zacumował w zatoce i nie było go widać z otwartego morza. Doktor postanowił wysiąść na brzeg, by poszukać wody, gdyż na statku już jej brakowało. Kazał wszystkim zwierzętom również wysiąść i pobiegać po trawie, by rozprostowały nogi.

Kiedy wysiadali, zauważył mnóstwo szczurów wybiegających spod pokładu, które także opuszczały statek. Jip zaczął je gonić, bo to zawsze stanowiło jego ulubioną zabawę. Jednak Dolittle kazał mu przerwać to zajęcie.

Pewien ogromny, czarny szczur chciał przekazać doktorowi jakąś wiadomość. Przekradł się nieśmiało po poręczy i kątem oka obserwował psa. Najpierw zakaszlał nerwowo dwa albo trzy razy, wytarł sobie wąsiki i pyszczek, po czym rzekł:

— Hmm... wiadomo panu zapewne, panie doktorze, że na wszystkich statkach mieszkają szczury, prawda?

A doktor odparł:

— Tak, wiem o tym.

— I wie pan także, że szczury zawsze opuszczają tonący statek?

— Wiem — potwierdził doktor. — Słyszałem o tym.

— Ludzie — ciągnął szczur — mówią zawsze o tym z szyderczym uśmiechem na twarzy, jakby to było coś haniebnego. Ale czy można nas za to winić? Kto zostałby na tonącym statku, jeśli mógłby z niego wysiąść?

— Mnie to nie dziwi — odparł doktor. — Naprawdę. Doskonale to rozumiem... Czy coś jeszcze... czy coś jeszcze chciałbyś dodać?

— Przyszedłem panu powiedzieć, że opuszczamy ten statek — dodał szczur. — Ale zanim sobie pójdziemy, chcielibyśmy was ostrzec. To kiepski statek. Nie jest bezpieczny. Burty nie są dość mocne. A na dodatek przegniłe. Do jutra wieczór pójdzie na dno.

— Skąd wiesz? — spytał doktor.

— Znamy się na tym — odpowiedział szczur. — Odczuwamy wtedy dziwne mrowienie w koniuszku ogona. Jakby ścierpły nam nogi. Dziś rano o szóstej, kiedy

„I wie pan także, że szczury zawsze opuszczają tonący statek?"

jadłem śniadanie, poczułem takie mrowienie. Najpierw pomyślałem, że odzywa się mój reumatyzm. Dlatego poszedłem i spytałem moją ciotkę, jak się czuje. Pamięta ją pan? To taka szczupła, łaciata szczurzyca, dość koścista, która ubiegłej wiosny leczyła się u pana na żółtaczkę. Odparła, że czuje mrowienie nie tylko w ogonie, ale na całym ciele! Wtedy zrozumieliśmy, że w ciągu dwóch dni statek na pewno pójdzie na dno. Dlatego wszyscy postanowiliśmy go opuścić, jak tylko dopłyniemy do jakiegoś lądu. To kiepska łajba, panie doktorze. Niech ją pan opuści, inaczej pan zatonie… Żegnam! Teraz poszukamy jakiegoś bezpiecznego miejsca na tej wyspie, gdzie będziemy mogli zamieszkać.

— Żegnajcie! — wykrzyknął doktor. — I dziękuję pięknie za ostrzeżenie. To bardzo miłe z waszej strony, bardzo! Proszę przekazać ukłony dla ciotki! Pamiętam ją bardzo dobrze… Zostaw tego szczura, Jip! Chodź tutaj, siadaj!

Potem doktor i jego zwierzęta zeszli ze statku, dźwigając wiadra i rondle. Chcieli poszukać wody na wyspie. Jaskółki poniosły resztę rzeczy.

— Jestem ciekaw, jak się nazywa ta wyspa — powiedział doktor, wspinając się po stoku góry. — Przyjemnie tu. A ile ptaków!

— To przecież Wyspy Kanaryjskie — wtrąciła Dab-Dab. — Nie słyszy pan, jak śpiewają kanarki?

Doktor zatrzymał się i zaczął nadsłuchiwać.

— No tak, rzeczywiście! — wykrzyknął. — Ale ze mnie głupiec! Może powiedzą nam, gdzie znajdziemy wodę.

Po chwili kanarki, które rozpoznały doktora Dolittle'a z opowieści przelatujących ptaków, pojawiły się i zaprowadziły wszystkich do cudownego źródła chłodnej, krystalicznej wody, gdzie zwykle brały kąpiel. Pokazały im także piękne łąki, gdzie rosły rośliny będące pożywieniem dla ptaków, i jeszcze inne miejsca na wyspie.

Dwugłowiec także się ucieszył, że tutaj przybyli, gdyż bardzo lubił zieloną trawę, jeszcze bardziej niż suszone jabłka, które jadł na statku. A świnka Geb-Geb zapiszczała z radości, gdy znalazła się w dolinie porośniętej dziką trzciną cukrową.

Jakiś czas później, gdy mieli już mnóstwo jedzenia i picia, rozciągnęli się wygodnie na trawie, słuchając śpiewu kanarków. Wtedy przyleciały dwie bardzo podekscytowane jaskółki.

— Panie doktorze! — wykrzyknęły. — Do zatoki przybili piraci! Weszli na pański statek! Są pod pokładem i plądrują wszystkie pomieszczenia. Własny statek zostawili bez dozoru. Jeśli się pospieszycie i pójdziecie na plażę, będziecie mogli wejść na ich szybki okręt i uciec stąd. Ale musicie się pospieszyć.

— Świetny pomysł — podsumował doktor. — Wprost wspaniały!

Zwołał swoje zwierzęta, pożegnał się z kanarkami i wszyscy pobiegli na plażę.

Gdy znaleźli się na brzegu, ujrzeli na wodzie piracki statek z trzema szkarłatnymi żaglami. Jak mówiły jaskółki, nikogo nie było na pokładzie. Wszyscy piraci znajdowali się pod pokładem statku doktora, szukając drogocennych rzeczy.

John Dolittle kazał zwierzętom stąpać bardzo cicho i wszyscy ostrożnie wkradli się na piracki statek.

ROZDZIAŁ PIĘTNASTY

SMOK Z MAGHREBU

Wszystko poszłoby dobrze, gdyby świnka nie przeziębiła się, próbując wilgotnej trzciny cukrowej. Gdy bezszelestnie wciągnęli kotwicę i ostrożnie wyprowadzili statek z zatoki, Geb-Geb nagle kichnęła tak głośno, że piraci znajdujący się na drugim statku wbiegli pospiesznie na pokład, by zobaczyć, skąd dochodzi hałas.

Wówczas zorientowali się, że doktor ucieka. Skierowali statek ku wejściu do zatoki, tak by Dolittle nie mógł wydostać się na otwarte morze. Wtedy ich kapitan — którego nazywali Smok Ben Ali — pogroził doktorowi pięścią i wykrzyknął:

— No i co, cwaniaku, dałeś się złapać! Chciałeś umknąć na moim statku? Ale nie wykiwasz Ben Alego, Smoka z Maghrebu! Mam wielką ochotę na tę twoją kaczkę i prosiaka na dokładkę. Zjemy sobie na kolację steki wieprzowe i pieczoną kaczuszkę. A zanim pozwolę ci odpłynąć do domu, każesz swoim przyjaciołom przysłać mi kufer pełen złota.

Biedna Geb-Geb zaczęła wylewać łzy, a Dab-Dab przygotowała się do odlotu, by ratować skórę. Ale sowa Tu-Tu szepnęła do doktora:

— Niech gada dalej, a pan niech postara się być dla niego miły. Nasz stary statek i tak za chwilę pójdzie na dno. Szczury powiedziały, że przed północą zniknie z powierzchni wody — a one nigdy się nie mylą. Niech pan mu potakuje, aż statek nie zacznie tonąć. Niech kapitan plecie dalej.

„Spójrz na mnie, Ben Ali..."

— Co takiego?! Do jutra w nocy! — wykrzyknął doktor. — No cóż, zrobię, co w mojej mocy… Zastanówmy się… o czym mam z nim rozmawiać?

— Och, niech gada, co chce — powiedział Jip. — Bez walki te dranie nas nie dostaną. Jest ich tylko sześciu. Niech robią, co im się żywnie podoba. Pochwalę się szkockiemu owczarkowi, który mieszka w sąsiedztwie, że ugryzłem prawdziwego pirata. Niech tylko się tu pojawią! Bez walki nas nie wezmą!

— Ale oni mają pistolety i miecze — powiedział doktor. — Nie, to się nie uda. Muszę zająć go rozmową. Spójrz na mnie, Ben Ali…

Ale zanim doktor zdążył dokończyć zdanie, piraci podpłynęli na niebezpieczną odległość. Rechocząc złośliwie, mówili:

— Który pierwszy dopadnie tę świnkę?

Biedna Geb-Geb porządnie się przestraszyła. Dwugłowiec szykował się do walki: zaczął ostrzyć sobie rogi, pocierając nimi o maszt. Natomiast Jip podskakiwał, szczekał głośno i obrzucał Ben Alego wyzwiskami w psim języku.

Wydawało się, że piraci stracili rezon. Przestali się śmiać, sypać żarcikami i zrobili zdumione miny. Z niewiadomego powodu poczuli się nieswojo.

Ben Ali spojrzał na swoje stopy i nagle wrzasnął:

— Do stu piorunów! Kamraci, statek przecieka!

Wtedy jego kompani wyjrzeli za burtę i zobaczyli, że statek rzeczywiście zaczyna się zanurzać. A jeden z nich powiedział do swego herszta:

— Ale przecież gdyby ta łajba naprawdę tonęła, to szczury by ją opuściły.

Wtedy Jip odezwał się z drugiego statku:

— Matoły, tam już nie ma żadnych szczurów! Uciekły ze statku dwie godziny temu! Czy to was nie bawi, chłopcy!

Ale — oczywiście — oni go nie zrozumieli.

Rufa statku przechyliła się gwałtownie i statek coraz szybciej szedł na dno — aż w końcu wyglądał tak, jakby stanął na głowie. Piraci musieli trzymać się kurczowo relingu, masztów, lin i czegokolwiek się dało, by nie wpaść do morza. Woda z szumem wlewała się do środka drzwiami i oknami. Aż w końcu statek ze złowieszczym bulgotem opadł na dno morza, a sześciu rzezimieszków unosiło się w głębokich odmętach zatoki.

Kilku z nich postanowiło dopłynąć do wyspy. Próbowali dostać się na okręt, gdzie przebywał doktor. Ale Jip łapał ich zębami za nosy i bali się wdrapać na pokład.

Nagle wykrzyknęli ogromnie przestraszeni:

— Rekiny! Rekiny płyną! Pozwólcie nam wejść na statek, zanim nas pożrą! Pomocy! Rekiny! Rekiny!

Wówczas doktor zauważył grzbiety ogromnych ryb, które szybko pruły wodę.

Jeden z drapieżników podpłynął do statku, wystawił pysk z wody i spytał:

— Czy pan nazywa się John Dolittle i jest tym sławnym lekarzem zwierząt?

— Tak, to ja — odparł doktor. — We własnej osobie.

— Wie pan co — powiedział rekin — ci piraci to niezłe dranie, szczególnie Ben Ali. Jeśli zaleźli wam za skórę, z przyjemnością ich pożremy i pozbędziecie się kłopotów.

— Dziękuję za okazaną nam troskę — odparł doktor.

— Ale chyba nie będziecie musieli ich zjadać. Tylko dopilnujcie, by żaden nie dopłynął do brzegu, aż wam nie powiem. Niech sobie na razie pływają, dobrze? Aha, pozwólcie Ben Alemu podpłynąć bliżej, żebym mógł z nim porozmawiać.

Drapieżniki odpłynęły i przepuściły herszta.

— Posłuchaj mnie, Ben Ali — wykrzyknął Dolittle, przechylając się przez burtę. — Jesteś niezłym draniem i wiem, że masz na sumieniu wielu ludzi. Te porządne rekiny zaofiarowały się, że was zjedzą — i nie byłoby to złe rozwiązanie. Ale jeśli obiecasz, że mnie posłuchasz, pozwolę wam bezpiecznie odpłynąć.

— Co mam zrobić? — spytał pirat, zezując na ogromnego rekina, który obwąchiwał mu nogę pod wodą.

— Nikogo więcej nie zabijesz — powiedział doktor. — Musisz przestać grabić. Nigdy więcej nie zatopisz żadnego statku. Musisz porzucić piracki fach.

— No to czym będę się zajmował? — spytał Ben Ali. — Jak mam dalej żyć?

— Ty i twoi ludzie popłyniecie na tę wyspę. Zajmiecie się produkcją karmy dla ptaków — podsunął doktor. — Będziecie produkować pokarm dla kanarków.

Smok z Maghrebu zrobił się blady z wściekłości.

— Produkować karmę dla ptaków! — jęknął. — A nie mogę żeglować po morzach?

— Nie — odparł zdecydowanie doktor — nie możesz. Już dość długo żeglowałeś, posyłając suto zaopatrzone statki i porządnych ludzi na dno morskie. Odtąd będziecie pędzić spokojny żywot rolników. Patrz, rekin czeka! Nie marnuj jego czasu. Podejmij teraz decyzję.

— Do kroćset! — mruknął Ben Ali. — Karma dla ptaków! — Spojrzał w dół i zauważył, że ogromna ryba obwąchuje mu drugą nogę. — No dobra — zgodził się ze smutkiem. — Zostaniemy rolnikami.

— I zapamiętaj — dodał doktor — że jeśli nie dotrzymasz obietnicy i zaczniesz znowu zabijać i grabić, a na pewno się o tym dowiem od kanarków, wtedy znajdę sposób, by cię ukarać. A choć nie umiem tak dobrze jak ty nawigować statkiem, jednak tak długo, jak ptaki, ssaki i ryby są moimi przyjaciółmi, nie muszę się obawiać herszta piratów — choćby go zwali Smokiem z Maghrebu. A teraz płyńcie na wyspę, zajmijcie się produkcją karmy i starajcie się żyć uczciwie.

Po tych słowach doktor odwrócił się do wielkiego rekina, pomachał do niego ręką i powiedział:

— Wszystko w porządku. Niech płyną bezpiecznie do brzegu.

ROZDZIAŁ SZESNASTY

TU-TU GUMOWE UCHO

Doktor jeszcze raz podziękował rekinom za pomoc. Razem ze swymi zwierzętami wyruszył w drogę powrotną do domu na pokładzie szybkiego statku wyposażonego w trzy szkarłatne żagle.

Gdy wypłynęli na otwarte morze, wszystkie zwierzaki zeszły pod pokład, by obejrzeć nowy nabytek od środka. Doktor natomiast oparł się o reling na rufie. Z fajką w zębach przyglądał się, jak w świetle zachodzącego słońca nikną w oddali Wyspy Kanaryjskie.

Rozmyślał, jak sobie radzą małpy i jak będzie wyglądał jego ogród po powrocie z wyprawy. W tym momencie świnka Dab-Dab radośnie wbiegła po schodach. Nie mogła się doczekać, kiedy podzieli się z nim nowinami.

— Panie doktorze! — wykrzyknęła. — Ten piracki statek jest przepiękny, bez dwóch zdań! Łóżka wysłane delikatnym jedwabiem, a na nich mnóstwo poduch i poduszeczek. Na podłodze leżą grube, miękkie dywany, a wszędzie srebrne naczynia. Są też różnego rodzaju wiktuały — spiżarnia wygląda jak prawdziwy sklep. W życiu jeszcze pan czegoś takiego nie widział. Proszę tylko pomyśleć — mają pięć gatunków sardynek! Niech pan popatrzy... Aha, znaleźliśmy jeszcze maleńki pokoik, ale jego drzwi są zamknięte na klucz. Bardzo byśmy chcieli zajrzeć do środka i sprawdzić, co tam jest. Jip mówi, że pewnie trzymają tam skarb. Ale nie potrafimy otworzyć drzwi. Niech pan zejdzie i pomoże nam dostać się do środka.

Doktor zszedł pod pokład i stwierdził, że spiżarnia rzeczywiście wygląda jak dobrze zaopatrzony sklep. Zwierzęta tłoczyły się wokół małych drzwi, przekrzykiwały nawzajem, starając się zgadnąć, co może być w środku. Dolittle nacisnął klamkę, ale drzwi nie puściły. Wtedy wszyscy zaczęli szukać klucza. Zajrzeli pod matę, pod wszystkie dywany, do wszystkich kredensów, szuflad i szafek, do brzuchatych komód w jadalni. Zajrzeli wszędzie, gdzie się dało.

Podczas przeszukiwań natknęli się na wiele nowych i przepięknych przedmiotów, które piraci skradli z innych okrętów: kaszmirowe szale cieniutkie jak pajęczyna i ozdobione haftowanymi złotem kwiatami, dzbany z najlepszym tytoniem z Jamajki, skrzynie z kości słoniowej pełne rosyjskiej herbaty, stare skrzypce z zerwaną struną i obrazkiem na pudle, komplet figur szachowych wyrzeźbionych z korala i bursztynu, laskę z ukrytą szpadą, która pojawiała się, gdy pociągnęło się za rączkę, sześć kielichów do wina ze srebrnym i turkusowym brzegiem i przepiękną cukiernicę wykonaną z masy perłowej. Jednak nigdzie nie natknęli się na klucz, który pasowałby do zamkniętych drzwi.

Dlatego wrócili pod drzwi i Jip zajrzał przez dziurkę od klucza. Jednak coś zasłaniało otwór i niczego nie zobaczył.

Kiedy tak stali i zastanawiali się, co zrobić, sowa Tu-Tu nagle wykrzyknęła:

— Ciii! Posłuchajcie! Ktoś tam jest!

Momentalnie wszyscy ucichli. Po chwili odezwał się doktor:

— Pomyliłaś się, Tu-Tu. Ja niczego nie słyszę.

— Jestem pewna, że ktoś tam jest — upierała się sowa. — Ciii! Znowu to samo. Nie słyszeliście?

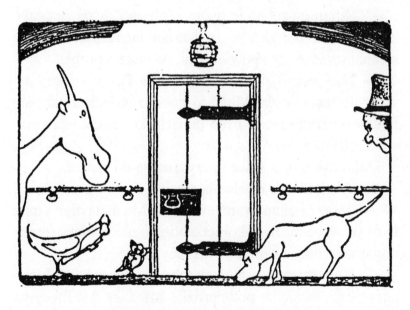

„Ciii! Posłuchajcie! Ktoś tam jest!"

— Nie — powiedział doktor. — Co ci ten dźwięk przypomina?

— Jakby ktoś wkładał rękę do kieszeni — odparła.

— Ale prawie nic nie słychać — powątpiewał doktor.

— Nie możesz tego słyszeć.

— Przepraszam bardzo, ale słyszę — upierała się Tu--Tu. — Powtarzam: po drugiej stronie jest ktoś i ten ktoś wkłada rękę do kieszeni. Prawie wszystko wywołuje jakiś dźwięk — trzeba mieć tylko dobry słuch, by to usłyszeć. Nietoperze słyszą krety spacerujące w tunelach pod ziemią, a one mają bardzo dobry słuch. Jednak my, sowy, słuchając tylko jednym uchem, potrafimy rozpoznać, jakiej maści jest kotek, po tym jak iskrzy się jego sierść w ciemności.

— Zdumiewają mnie twoje zdolności — oświadczył z podziwem doktor. — To bardzo interesujące... Posłuchaj jeszcze raz i powiedz mi, co on teraz robi.

— Nie jestem pewna — odparła Tu-Tu — czy to w ogóle mężczyzna. Może to kobieta. Niech mnie pan podniesie! Przystawię ucho do dziurki i zaraz wam powiem coś jeszcze.

Doktor podniósł sowę i przysunął ją do zamka.

Po chwili Tu-Tu odezwała się:

— Teraz pociera twarz lewą ręką. Ma małą dłoń i małą twarz. Być może to kobieta. Nie, to nie kobieta. Teraz odgarnia włosy z czoła. To mężczyzna.

— Kobiety też czasami tak robią — stwierdził doktor.

— Zgadza się — potwierdziła sowa. — Ale kiedy to robią, ich długie włosy wydają zupełnie inny dźwięk...

Ciii! Uspokójcie tę nieznośną świnkę! Teraz wstrzymajcie wszyscy oddech, bo nic nie słyszę. To bardzo trudne zadanie, a na dodatek te obrzydliwe drzwi są takie grube. Ciii! Siedźcie cicho, zamknijcie oczy i nie oddychajcie!

Tu-Tu pochyliła się do przodu i ponownie zaczęła uważnie nadsłuchiwać.

W końcu spojrzała doktorowi w oczy i oznajmiła:

— Ten mężczyzna jest smutny. Płacze. Stara się nie pochlipywać i nie pociągać nosem, byśmy nie dowiedzieli się, że płacze. Jednak słyszałam dość wyraźnie, jak łza spada mu na rękaw.

— A może to kropla wody spadła na niego z sufitu? — spytała Geb-Geb.

— Phi! Co za głupota! — prychnęła Tu-Tu. — Kropla wody spadająca z sufitu wydaje dziesięć razy głośniejszy dźwięk!

— Jeśli ten biedak rzeczywiście jest nieszczęśliwy — odezwał się doktor — musimy wejść do środka i zobaczyć, co się tam dzieje. Poszukajcie siekiery, a ja wyrąbię w drzwiach dziurę.

ROZDZIAŁ SIEDEMNASTY

PLOTKI Z OCEANU

Szybko znaleźli siekierę. Doktor od razu wyrąbał w drzwiach tak duży otwór, by można było dostać się do środka.

Z początku zupełnie nic nie mógł dostrzec — panowała tam ponura ciemność. Dlatego zapalił zapałkę.

Pokój był maleńki, miał nisko zawieszony sufit i żadnego okna. Jedyny mebel stanowił niski stołek. Pod ścianami stały beczki przymocowane do podłogi, by się nie przewróciły podczas kołysania statku. Nad nimi na drewnianych hakach wisiały cynowe dzbany różnej wielkości. W powietrzu unosił się intensywny aromat wina. Na środku siedział mały chłopiec, mniej więcej ośmiolatek, i zalewał się gorzkimi łzami.

— To piracka składnica rumu — powiedział szeptem Jip.

— To się czuje. A ile tego rumu zgromadzili! — stwierdziła Geb-Geb. — Od tego zapachu zakręciło mi się w głowie.

Chłopiec spojrzał na stojącego przed nim mężczyznę i zwierzęta zaglądające przez dziurę w zniszczonych drzwiach. Na ich widok jego oczy zrobiły się ogromne z przerażenia. Ale jak tylko w świetle płonącej zapałki zobaczył twarz Johna Dolittle'a, przestał płakać i podniósł się.

— Nie należysz do tej bandy, prawda? — spytał.

Doktor odrzucił głowę do tyłu i wybuchnął gromkim śmiechem, a wtedy malec również się uśmiechnął, podszedł i chwycił go za rękę.

— Podoba mi się twój śmiech — oznajmił. — Tak się nie śmieje pirat. Czy może wiesz, gdzie jest mój wujek?

— Niestety, nie mam pojęcia — odparł doktor. — A kiedy go ostatnio widziałeś?

— Przedwczoraj — odpowiedział chłopczyk. — Wypłynęliśmy łódką na ryby, a wtedy zjawili się piraci i porwali nas. Zatopili nam łódź i zawlekli nas na swój statek. Powiedzieli wujowi, że musi zostać piratem takim jak oni, gdyż niezależnie od pogody potrafi nawigować statkiem. Wuj odpowiedział im na to, że nie chce być piratem, bo zabijanie i okradanie ludzi nie jest zajęciem godnym porządnego rybaka. Wtedy ich herszt, Ben Ali, wpadł we wściekłość. Zazgrzytał zębami i powiedział, że jeśli wuj tego nie uczyni, wrzuci go do wody. A mnie zamknęli pod pokładem. Słyszałem odgłosy walki toczącej się nad moją głową. A gdy następnego dnia pozwolili mi wyjść, wuja nigdzie nie było. Pytałem ich, co się z nim stało, ale nie chcieli mi powiedzieć. Boję się, że wrzucili go do morza i utonął.

Malec ponownie zaczął szlochać.

— Uspokój się — powiedział doktor. — Przestań płakać! Chodź, napijemy się herbaty i porozmawiamy. Może twój wuj jest teraz w jakimś bezpiecznym miejscu. Przecież nie masz pewności, że utonął, prawda? A to już coś znaczy. Może go odnajdziemy. Ale najpierw pójdziemy napić się herbaty z konfiturą truskawkową, a potem zastanowimy się, co robić dalej.

Stojące wokół zwierzęta przysłuchiwały się tej rozmowie z ogromną ciekawością. Już po chwili wszyscy znaleźli się w mesie. Kiedy pili herbatę, Dab-Dab podeszła do doktora i szepnęła:

— Niech pan spyta morświny, czy jego wuj utonął. Na pewno będą wiedziały.

— Masz rację — odparł doktor, sięgając po drugi kawałek chleba z konfiturą.

— Dlaczego tak zabawnie mlaskałeś językiem? — spytał chłopiec.

— Powiedziałem kilka słów w kaczym języku — odpowiedział Dolittle. — To Dab-Dab. Należy do moich przyjaciół.

— Nie miałem pojęcia, że kaczki mają swój język — wyznał malec. — Czy te pozostałe zwierzęta są także twoimi przyjaciółmi? A co to za dziwny stwór, ten z dwiema głowami?

— Ciii! — szepnął doktor. — To dwugłowiec. Nie chcę, by się zorientował, że o nim mówimy. Okropnie by się zawstydził... Opowiedz, jak to się stało, że zamknęli cię w tym składziku?

— Kiedy popłynęli grabić jakiś okręt, postanowili mnie tam zamknąć. Usłyszałem, jak ktoś uderza siekierą w drzwi, ale nie wiedziałem, kto to jest. Ucieszyłem się, gdy okazało się, że to wy. Odnajdziecie mojego wuja?

— Będziemy się starali — pocieszył go doktor. — Opisz mi, jak on wygląda.

— Ma rude włosy — odparł chłopiec — ognistorude. A na ramieniu wytatuowaną kotwicę. Jest krzepkim mężczyzną, kochanym wujkiem i najlepszym marynarzem na południowym Atlantyku. Jego kuter nazywał się „Mknąca Strzała" — to slup z takielunkiem kutra.

— Co to jest „slup z takielunkiem kutra"? — spytała Geb-Geb, zwracając się do Jipa.

— Ciii! To taki statek, jaki miał jego wuj — wyjaśnił pies. — Cicho bądź, dobrze?

— Coś takiego! — zdziwiła się świnka. — A już myślałam, że to coś do picia.

Doktor zostawił chłopca, by pobawił się ze zwierzętami, a sam poszedł na pokład. Chciał spotkać się z przepływającymi morświnami.

Wkrótce zauważył ławicę wielorybów, które wynurzały się, płynąc ku wybrzeżom Brazylii. Gdy zauważyły, że Dolittle przechyla się przez barierkę, podpłynęły bliżej. Chciały sprawdzić, czy wszystko jest w porządku.

Doktor spytał, czy czasem nie widziały rudowłosego mężczyzny z wytatuowaną kotwicą na ramieniu.

— Pyta pan o kapitana „Mknącej Strzały"? — spytały morświny.

— Tak — odpowiedział. — Właśnie o niego. Czy nie utonął?

— Jego kuter poszedł na dno — odparły morświny. — Samiśmy go tam widzieli. Ale w środku nie było nikogo, bo podpłynęliśmy i zajrzeliśmy do środka.

— Siostrzeniec kapitana przebywa na naszym okręcie — powiedział doktor. — Bardzo się martwi, że piraci wrzucili jego wuja do morza. Czy moglibyście sprawdzić, czy utonął, czy nie?

— On nie utonął — odparły morświny. — Gdyby było inaczej, na pewno powiedziałyby nam o tym żyjące w głębinach dziesięciornice. Znamy wszystkie morskie nowiny. Małże nazywają nas plotkarkami z oceanu. Niech pan przekaże chłopcu, że niestety, nie wiemy, gdzie jest jego wujek, ale na pewno nie utonął w morzu.

Doktor pobiegł pod podkład z dobrą nowiną. Powtórzył ją malcowi, który z radości zaczął klaskać w dłonie. Dwugłowiec wziął chłopca na grzbiet i obwiózł go po mesie, a inne zwierzęta biegły za nimi, waląc łyżkami w blaszane pokrywki i udając, że tworzą karnawałowy pochód.

ROZDZIAŁ OSIEMNASTY

ZAPACHY

Twój wuj na pewno się odnajdzie — pocieszał chłopca doktor. — Wiemy już, że piraci nie wrzucili go do morza.

Dab-Dab jeszcze raz podeszła do niego i szepnęła:

— Niech pan poprosi orły, by go poszukały. Żadne inne stworzenia na świecie nie mają tak dobrego wzroku. Szybując wysoko po niebie, potrafią zliczyć mrówki idące po ziemi. Niech pan spyta orły.

Doktor posłał jedną jaskółkę, by poszukała te drapieżne ptaki.

Nie minęła godzina, a ptaszek wrócił w towarzystwie sześciu orłów: czarnego orła, łysego orła, rybiego orła, sępiego orła i morskiego orła o białym ogonie. Wszystkie były dwa razy wyższe od malca. Usiadły dostojnie na relingu. Wyglądały jak barczyści żołnierze stojący jeden obok drugiego: poważne, nieruchome i wyprostowane. Ich wielkie, błyszczące, czarne oczy rzucały mordercze spojrzenia na wszystkie strony.

Geb-Geb bardzo się ich przestraszyła i schowała za beczkę. Miała wrażenie, że te straszliwe oczy przeszywają ją na wylot, jakby chciały dojrzeć, co udało jej się połknąć na śniadanie.

Wtedy doktor zwrócił się do orłów:

— Zaginął pewien człowiek, rybak o rudych włosach z kotwicą wytatuowaną na ramieniu. Czy moglibyście pomóc nam w poszukiwaniach? Ten tutaj malec to jego siostrzeniec.

Orły nie są zbyt rozmowne, dlatego powiedziały tylko swym chrapliwym głosem:

— Dla pana, doktorze Dolittle, uczynimy, co w naszej mocy.

Po tych słowach odleciały, a wtedy Geb-Geb wynurzyła się zza beczki. Ptaki wznosiły się coraz wyżej i wyżej. A gdy wzleciały tak wysoko, że doktor ledwie je widział, rozdzieliły się i poleciały na cztery strony świata: na północ, wschód, południe i zachód. Wyglądały jak maleńkie ziarenka czarnego piasku unoszące się na szerokim, błękitnym niebie.

— O rany! — krzyknęła Geb-Geb przyciszonym głosem. — Jak wysoko! Że też sobie nie osmalą piór. Lecą tak blisko słońca!

Przez długi czas nie było o nich ani widu, ani słychu. A gdy wreszcie powróciły, zapadła już prawie noc.

Zdały doktorowi relację ze swoich poszukiwań:

— Sprawdziłyśmy wszystkie morza, kraje, wyspy, miasta i wioski położone w tej części świata. Ale nic nie znalazłyśmy. Na głównej ulicy Gibraltaru zauważyłyśmy trzy rude włosy leżące na taczce przed piekarnią. Ale to nie były ludzkie włosy — to sierść pochodząca z jakiegoś futra. Nigdzie — ani na morzu, ani na lądzie — nie napotkałyśmy śladu wuja tego malca. A jeśli nam nie udało się go dojrzeć, to tym bardziej inni go nie zobaczą... Panie doktorze, uczyniłyśmy wszystko, co w naszej mocy.

Sześć ogromnych ptaków zatrzepotało szerokimi skrzydłami i odleciało do gniazd położonych na skałach wysoko w górach.

— No to co teraz zrobimy? — spytała Dab-Dab po ich odlocie. — Musimy znaleźć jego wuja — bez dwóch zdań. Dzieciak jest za mały, by samemu błąkać się po świecie. Chłopcy to nie kaczątka — trzeba się nimi zajmować aż do późnego wieku... Szkoda, że Czi-Czi tutaj nie ma. Ona od razu odnalazłaby tego biedaka. Poczciwa, stara Czi-Czi! Ciekawe, co porabia!

— Gdyby tu była Polinezja — odezwała się mała biała myszka — szybko by coś wymyśliła. Pamiętacie, jak za drugim razem wyciągnęła nas z więzienia? Ta to miała głowę!

— Nie pokładam zbytnich nadziei w tych orłach — powiedział Jip. — To zarozumialcy. Może i mają bardzo dobry wzrok i tak dalej, ale gdy trzeba kogoś znaleźć, to nie potrafią tego zrobić. A na dodatek mają czelność wrócić i oświadczyć, że nikt inny tego nie dokona — tak samo jak ten owczarek szkocki z Puddleby. Nie mam też zbyt dobrego mniemania o tych paplach, starych morświnach. Wiedziały tylko, że w morzu go nie ma. Co nas obchodzi, gdzie go nie ma — chcemy wiedzieć, gdzie jest.

— Przestań się wymądrzać! — zganiła go świnka. — Łatwo tak gadać, trudniej znaleźć człowieka, jeśli nie wiadomo, gdzie go szukać. Może włosy już mu posiwiały z tęsknoty za chłopcem i dlatego orły nie mogły go znaleźć. Nie znasz całej prawdy. Potrafisz tylko mielić jęzorem. Nie machnąłeś nawet ogonem, by pomóc. Nie byłbyś lepszy w poszukiwaniach od orłów — nawet byś im nie dorównał.

— Czyżby? — spytał Jip. — Takaś mądra, ty tłusty bekonie! Przecież jeszcze nawet nie spróbowałem, prawda? Poczekaj tylko, a zobaczysz, na co mnie stać!

„Takaś mądra, ty tłusty bekonie!"

Po tych słowach poszedł do doktora i poprosił:

— Niech pan spyta chłopca, czy ma coś, co należało do jego wujka, dobrze?

Doktor poszedł do malca. Chłopiec pokazał mu złoty pierścień, który nosił na sznurku na szyi, na jego palec bowiem był za duży. Powiedział, że dostał go od wuja, gdy zobaczyli zbliżających się piratów.

Jip obwąchał pierścień, po czym stwierdził:

— Nic z tego. Może ma coś jeszcze, co należało do jego wuja?

Malec wyciągnął z kieszeni dużą, czerwoną chustkę i powiedział:

— To także było jego własnością.

Kiedy tylko Jip ją ujrzał, wykrzyknął:

— Psiakostka, tabaka! Czarna tabaka Rappee! Nie czujecie? Jego wuj pewnie zażywał tabakę. Niech pan go o to spyta, doktorze!

Dolittle ponownie zadał chłopcu pytanie, a ten odpowiedział:

— To prawda. Mój wujek zażywał tabakę.

— Świetnie! — wykrzyknął Jip. — Teraz znalezienie go to pestka. To jakby podebrać mleko małemu kotkowi. Niech pan mu powie, że w ciągu tygodnia znajdę jego wuja. Wejdźmy na pokład. Trzeba zobaczyć, skąd wieje wiatr.

— Ale już jest ciemno — powiedział doktor. — Przecież w ciemności go nie znajdziesz!

— Nie potrzebuję światła, by znaleźć człowieka, który pachnie czarną tabaką Rappee — powiedział Jip, wchodząc po schodach. — Gdyby ten człowiek miał zapach trudny do rozpoznania, jak na przykład sznurek albo dajmy na to gorąca woda, to sprawa wyglądałaby inaczej. Ale tabaka! Też coś!

— Czy gorąca woda wydziela jakiś aromat? — spytał zdziwiony Dolittle.

— Oczywiście — odparł pies. — Gorąca woda pachnie zupełnie inaczej niż zimna. Ciepła woda albo lód — te to dopiero mają trudny do rozpoznania zapach! Kiedyś ciemną nocą przez dziesięć mil szedłem śladem pewnego człowieka. Nie zgubiłem go, bo pachniał gorącą wodą, której używał do golenia, biedaka bowiem nie było stać na mydło... No, ale zobaczmy, skąd wieje wiatr. W długodystansowym obwąchiwaniu wiatr ma ogromne znaczenie. Nie może być zbyt porywisty i, naturalnie, musi wiać w odpowiednim kierunku. Przyjemny, równy, wilgotny wietrzyk to najlepsze, co się może zdarzyć... Hura! Ten wieje z północy!

Pies pognał na przód statku i zaczął obwąchiwać powietrze, mrucząc przy tym pod nosem:

— Smoła, hiszpańska cebula, nafta, mokre płaszcze przeciwdeszczowe, pokruszone liście laurowe, paląca się guma, uprane koronkowe firanki — nie, przepraszam bardzo, schnące koronkowe firanki i lisy — mnóstwo młodych lisów — i...

— Czy to możliwe, żeby wyczuć te wszystkie zapachy w jednym powiewie wiatru? — zdumiał się doktor.

— A co w tym dziwnego! — wykrzyknął Jip. — To kilka łatwiej wyczuwalnych zapachów — tych intensywniejszych. Każdy kundel by je wyczuł, nawet gdyby miał silny katar. Chwileczkę, teraz czuję kilka delikatniejszych aromatów, które niesie ze sobą ten wiatr — kilka słabszych.

Pies mocno zacisnął powieki, uniósł nos do góry i zaczął mocno węszyć z półotwartym pyskiem.

Przed długi czas się nie odzywał. Stał nieruchomo jak posąg. Wyglądał, jakby nie oddychał. Kiedy wreszcie przemówił, zdawało się, że zawodzi smutno przez sen.

— Cegły — cedził powoli — stare, poobijane ze starości żółte cegły w ogrodowym murze, mdły zapach młodych jałówek stojących w górskim potoku, ołowiany dach gołębnika — a może spichlerza — a nad nim południowe słońce, czarne, giemzowe rękawiczki leżące w szufladzie biurka z leszczynowego drewna, zakurzona droga, dalej koryto do pojenia koni pod sykomorami, grzybki wychylające głowy spod gnijących liści i jeszcze... jeszcze... jeszcze...

— Czujesz pasternak? — spytała Geb-Geb.

— Nie — odparł Jip. — Ty myślisz tylko o żarciu! Nie czuję żadnego pasternaku. I żadnej tabaki. Tylko zapach fajek i papierosów, ale żadnej tabaki. Trzeba poczekać, aż wiatr zmieni się na południowy.

— Rzeczywiście, ten powiew nie niesie zbyt ciekawych zapachów — stwierdziła świnka. — Naciągasz nas, Jip! Kto słyszał, żeby znaleźć człowieka na środku oceanu, używając do tego nosa! Przecież mówiłam, że ci się nie uda.

— Uważaj tylko — powiedział ostrzegawczo Jip, wykrzywiając się ze złości. — Za chwilę ktoś cię ugryzie w nos! Nie myśl sobie, że skoro doktor nie pozwala, żebyś od nas oberwała, to możesz pozwolić sobie na taką bezczelność!

— Przestańcie się kłócić! — wykrzyknął Dolittle. — No już! Życie jest za krótkie na kłótnie. Powiedz, Jip, skąd dochodzą te zapachy?

— Z Devon i Walii, przynajmniej większość z nich — odparł pies. — Stamtąd idzie wiatr.

— Ciekawe — stwierdził doktor. — To bardzo interesujące. Muszę to sobie zapisać. Przyda się do nowej książki. A mógłbyś i mnie nauczyć wyczuwać zapachy? Albo lepiej nie. Niech zostanie tak, jak jest. Jak mówią: co za dużo, to niezdrowo. Chodźmy na kolację! Zgłodniałem już.

— To tak jak ja — odezwała się pospiesznie Geb-Geb.

ROZDZIAŁ DZIEWIĘTNASTY

SKAŁA

Gdy następnego dnia wstali i wyskoczyli z jedwabnej pościeli, zauważyli, że słońce świeci upalnie, a wiatr wieje z południa.

Jip z uniesionym nosem obwąchiwał wiatr. Po pół godzinie podszedł do doktora, potrząsając ze smutkiem głową.

— Jak na razie, nie wyczułem żadnej tabaki — oznajmił. — Musimy poczekać, aż wiatr zmieni się na wschodni.

Ale nawet o trzeciej po południu, gdy zaczął wiać wiatr od wschodu, pies nie potrafił wyczuć tabaki.

Malec był bardzo rozczarowany i znowu zaczął płakać. Wątpił, czy komukolwiek uda się odnaleźć jego wujka. Wtedy Jip zwrócił się do doktora:

— Niech pan mu powie, że jak tylko wiatr zmieni kierunek, odnajdę jego wujka, nawet jeśli jest w Chinach. Pod warunkiem, że nadal zażywa czarną tabakę Rappee.

Trzy dni musieli czekać na zachodni wiatr. Zmiana nastąpiła w piątek z samego rana w momencie, gdy zaczęło się rozjaśniać. Delikatna, wilgotna mgiełka unosiła się nad taflą morza. Wiał leciutki i ciepły wiatr.

Skoro tylko Jip otworzył rano oczy, wybiegł na pokład i wystawił nos pod wiatr. Nagle ożywił się i pobiegł na dół obudzić doktora.

— Panie doktorze! — wykrzyknął. — Wyczułem! Panie doktorze! Panie doktorze, niech się pan obudzi! Proszę posłuchać! Mam! Wiatr wieje z zachodu i niesie ze sobą zapach tabaki. Niech pan wyjdzie na pokład i skieruje statek w tym kierunku — szybko!

Zaspany doktor wygramolił się z łóżka, wyszedł na pokład i stanął za sterem.

— Teraz idę na dziób — oznajmił podekscytowany Jip — a pan niech obserwuje mój nos. W którą stronę się

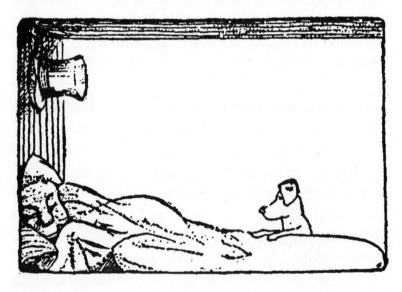

„Panie doktorze! — wykrzyknął. — Wyczułem!"

obrócę, pan tak samo ustawi statek. Nasz poszukiwany nie może być daleko — zapach jest bardzo silny. W tej chwili wieje wspaniały, wilgotny wiatr. Niech pan uważnie na mnie patrzy!

Cały ranek Jip spędził na dziobie okrętu. Obwąchiwał powietrze i pokazywał doktorowi kierunek, a wszystkie zwierzęta i mały chłopiec stali wokół niego i z szeroko otwartymi oczami z podziwem przyglądali się zachowaniu psa.

Około dwunastej w południe Jip poprosił kaczkę Dab-Dab, by powiedziała doktorowi, że coś go niepokoi i musi z nim porozmawiać. Dlatego Dab-Dab poszła po doktora stojącego na drugim końcu statku, a wtedy pies powiedział do niego:

— Wuj malca umiera z głodu. Musimy ruszyć „cała naprzód".

— Skąd wiesz, że umiera z głodu? — spytał doktor.

— W powietrzu wyczuwam bowiem jedynie zapach tabaki — odparł Jip. — Gdyby coś gotował czy jadł, na pewno bym to wyczuł. Ale on nie ma nawet świeżej wody do picia. Jedynie tabakę, i zażywa ją w dużych ilościach. Coraz bardziej zbliżamy się do niego, bo zapach z minuty na minutę staje się intensywniejszy. Ale niech pan przyspieszy, jestem pewien, że biedak umiera z głodu.

— Dobrze — powiedział doktor i posłał Dab-Dab po jaskółki. Miały pociągnąć statek tak samo jak wtedy, gdy gonili ich piraci.

Dzielne małe ptaszki obniżyły swój lot i ponownie chwyciły za sznurki.

Teraz łajba pruła fale z niezwykłą szybkością. Płynęła tak prędko, że ryby ratując życie, wyskakiwały w górę, by usunąć się z drogi.

Wszystkie zwierzęta były niezwykle podekscytowane. Przestały patrzeć na Jipa, wbiły wzrok w morze rozciągające się przed nimi. Szukały jakiegoś lądu, jakiejś wysepki, gdzie mógłby znajdować się wycieńczony głodem rybak.

„Jip obwąchiwał powietrze".

Jednak mijały godziny, a statek nadal płynął po równej tafli morza i nigdzie nie było widać ani skrawka ziemi.

Zwierzęta przestały rozmawiać. W milczeniu otoczyły psa i z troską przyglądały się jego poczynaniom. Malca znowu ogarnął smutek. Jip też miał zmartwioną minę.

W końcu późnym popołudniem, gdy słońce zaczynało zachodzić, sowa Tu-Tu, która przysiadła na samym szczycie masztu, nagle zwróciła uwagę wszystkich, krzycząc z całej siły:

— Jip, Jip! Widzę przed nami ogromną, ogromną skałę! Spójrz tam, gdzie niebo styka się z wodą. Widzisz, jak padają na nią promienie słońca — wygląda, jakby była zrobiona ze złota! Czy dochodzi stamtąd jakiś zapach?

A Jip odkrzyknął:

— Tak! Czuję! Tam jest ten człowiek! Nareszcie, nareszcie!

Podpłynęli bliżej, a wtedy zauważyli, że skała jest bardzo duża, tak duża jak szerokie pole. Nie rosły na niej żadne drzewa, nawet trawa — zupełnie nic. Wielka skała była tak gładka i naga jak skorupa żółwia.

Doktor sterował tak, by opłynąć skałę dookoła. Ale nigdzie nie było widać żywego ducha. Wszystkie zwierzęta wytężyły wzrok i patrzyły uważnie, a Dolittle przyniósł nawet teleskop.

Jednak nie wypatrzyli śladu żywego stworzenia: nawet żadnej mewy, rozgwiazdy czy gałązki wodorostu.

Wszyscy stali w milczeniu i nadsłuchiwali, wytężając słuch w nadziei, że coś usłyszą. Jednak jedynym dźwiękiem, jaki dochodził do ich uszu, było delikatne uderzenie fal o burty statku.

Wtedy wszyscy zaczęli wołać:

— Hej tam! Jest tam kto? — aż im ochrypły głosy. Jednak ze skały doszło ich jedynie echo ich okrzyków.

Wówczas malec wybuchnął płaczem i powiedział:

— Chyba już nigdy nie zobaczę wujka! Co powiem, gdy wrócę do domu?

Wtedy Jip zawołał do doktora:

— Na pewno tu jest! Wiem o tym! Wiem! Stamtąd dochodzi zapach. Na pewno tu jest, wiem o tym! Niech pan podpłynie bliżej do skały, a ja wyskoczę na ląd.

Doktor podpłynął tak blisko, by mógł zarzucić kotwicę, a potem razem z Jipem wyskoczyli na brzeg.

Pies od razu przyłożył nos do ziemi i zaczął biegać w różnych kierunkach. Chodził to tu, to tam, robił zygzaki, kręcił się, zawracał i skręcał. A tuż za nim biegł doktor, aż prawie nie mógł już złapać tchu.

W końcu pies wydał z siebie gromkie szczekanie i usiadł na ziemi. A gdy doktor do niego podbiegł, zauważył, że pies wpatruje się w dużą, głęboką dziurę we wnętrzu skały.

— Tam jest jego wujek — stwierdził Jip pewnym głosem. — Nic dziwnego, że te przemądrzałe orły nie mogły go dojrzeć. Na to trzeba być psem, by znaleźć człowieka.

Doktor zszedł do dziury, która była jakby jaskinią albo tunelem położonym głęboko pod ziemią. Tam zapalił zapałkę i zaczął iść ciemnym korytarzem, a za nim podążał Jip.

Zapałka szybko zgasła i doktor musiał zapalić jeszcze jedną, a po niej kolejną i jeszcze jedną.

W końcu ujrzeli koniec korytarza i doktor znalazł się w jakimś maleńkim pomieszczeniu ograniczonym skalnymi ścianami.

Tam na środku z rękami pod głową leżał mężczyzna. Włosy miał ognistorude i spał snem sprawiedliwego!

Jip podbiegł do niego i zaczął obwąchiwać coś leżącego za nim. Doktor pochylił się i podniósł to coś. Była to pokaźnych rozmiarów tabakierka wypełniona po brzegi czarną tabaką Rappee!

ROZDZIAŁ DWUDZIESTY

MIASTO RYBAKA

Doktor bardzo delikatnie zaczął budzić leżącego mężczyznę.

Ale właśnie w tym momencie zgasła kolejna zapałka. Rybak pomyślał, że to pewnie wrócił Ben Ali, i w ciemnościach zaczął okładać doktora pięściami.

Jednak gdy Dolittle wytłumaczył mu, kim jest i że na statku czeka na niego jego siostrzeniec, rozbitek niezwykle się ucieszył i przeprosił za swoje zachowanie. Nie zrobił doktorowi wielkiej krzywdy. Było zbyt ciemno, dlatego nie mógł go dokładnie trafić. Potem poczęstował go szczyptą tabaki.

Opowiedział, jak Smok z Maghrebu wysadził go na tej skale i zostawił na łasce losu, bo nie chciał zostać piratem, jak spał w tej jaskini, bo nie było żadnej chaty, która chroniłaby przed zimnem.

A potem dodał jeszcze:

— Przez cztery dni nie miałem nic w ustach. Przetrwałem jedynie dzięki tabace.

— No proszę! — wykrzyknął Jip. — A nie mówiłem!

Zapalili kilka zapałek i ruszyli korytarzem w kierunku wyjścia z jaskini, a doktor poganiał rybaka, by jak najszybciej znalazł się na statku i zjadł trochę zupy.

Gdy zwierzęta i chłopiec ujrzeli, jak doktor z Jipem wracają na statek w towarzystwie rudowłosego mężczyzny, zaczęli radośnie wiwatować i tańczyć na pokładzie. A tysiące, a nawet miliony jaskółek unoszących się nad okrętem świergotało na całe gardziołka, by także okazać radość z odnalezienia dzielnego wuja malca. Hałas, jaki przy tym czyniły, był tak donośny, że marynarze znajdujący się daleko na morzu sądzili, że nadchodzi okropny sztorm.

— Nadstawcie uszu! Ze wschodu nadchodzi straszna zawierucha! — wołali.

Jip był ogromnie dumny z siebie — choć starał się, jak mógł, by nie robić zarozumiałej miny. Gdy Dab-Dab podeszła do niego i powiedziała: — Nie miałam pojęcia, że jesteś taki mądry! — pies odrzucił głowę do tyłu i odparł: — Och, to nic takiego. Ale, wiesz, tylko pies potrafi odnaleźć człowieka. Ptaki nie nadają się do takiego zadania.

Doktor spytał rudowłosego mężczyznę, gdzie znajduje się jego dom. Potem poprosił jaskółki, by poprowadziły statek w tym kierunku.

Przypłynęli do kraju, o którym wspomniał mężczyzna. Ujrzeli maleńką rybacką osadę leżącą u stóp skalistej góry, a potem mężczyzna wskazał im dom, w którym mieszkał.

I kiedy zrzucali kotwicę, matka chłopca — która była siostrą rudowłosego mężczyzny — wybiegła im na spotkanie. Na przemian śmiała się i płakała. Przez dwadzieścia dni siedziała na wzgórzu, wpatrywała się w morze i czekała na ich powrót.

Wycałowała doktora ze wszystkich sił, a on zaczął chichotać i zarumienił się jak panienka. Próbowała także pocałować Jipa, ale pies uciekł i ukrył się na statku.

— Co to za głupi zwyczaj to całowanie — stwierdził.

— Nie podoba mi się. Jeśli już musi kogoś całować, niech pocałuje Geb-Geb.

Rybak i jego siostra nie chcieli się zgodzić, by doktor zaraz odpłynął. Poprosili go, aby został z nimi kilka dni. Dlatego Dolittle i jego zwierzęta musieli spędzić w ich domu całą sobotę, całą niedzielę i pół poniedziałku.

A wszyscy chłopcy z rybackiej wioski poszli na plażę i pokazując wielki statek zakotwiczony u brzegu, szeptem mówili do siebie:

— Patrzcie, to piracki statek Ben Alego, najstraszliwszego pirata, jaki żeglował po siedmiu morzach! Ten starszy pan w cylindrze, który mieszka teraz u pani Trevelyan, zabrał statek Smokowi z Maghrebu, a jemu nakazał zostać rolnikiem. Kto by pomyślał, że przemieni go w takiego łagodnego baranka! Spójrzcie na te wielkie szkarłatne żagle! Czyż ten widok nie budzi grozy?! O rany!

Podczas pobytu w małej rybackiej osadzie doktor zapraszany był na herbatki, śniadania, obiady i przyjęcia. Panie przysyłały mu bombonierki z czekoladkami, kwiaty, a lokalna orkiestra grała co wieczór pod jego oknem.

W końcu doktor oświadczył:

— Moi drodzy, muszę wracać do domu. Jesteście bardzo gościnni. Zapamiętam to, jednak teraz muszę już jechać, bo czekają na mnie obowiązki.

A gdy zbierał się do odjazdu, burmistrz wyszedł na ulicę, a wokół niego zgromadzili się honorowi obywatele miasta. Burmistrz zatrzymał się przed domem, w którym mieszkał doktor, a zaciekawieni mieszkańcy zbiegli się zobaczyć, co się będzie działo.

Gdy sześciu paziów zadęło w lśniące trąbki, by uciszyć zgromadzonych, doktor pojawił się na schodach, a wówczas burmistrz przemówił:

— Panie doktorze — rozpoczął — to dla mnie wielki zaszczyt, że mogę obdarować człowieka, który oswobodził morza i oceany od Smoka z Maghrebu, tym oto podarunkiem. Proszę przyjąć go jako wyraz wdzięczności od mieszkańców naszego miasteczka.

Po tych słowach wyciągnął z kieszeni paczuszkę owiniętą w delikatny papier, otworzył ją i wręczył doktorowi przepiękny zegarek wysadzany prawdziwymi brylantami.

Jeszcze raz sięgnął do kieszeni po trochę większą paczkę i spytał:

— A gdzie jest pies?

Wszyscy zaczęli się rozglądać, poszukując Jipa. W końcu Dab-Dab znalazła go na drugim końcu wioski. Stał na podwórzu przed stajnią, gdzie zbiegły się wszystkie psy z okolicy, otaczając go wianuszkiem w niemym zachwycie.

Gdy przyprowadzono go do doktora, burmistrz otworzył paczkę. A w środku znajdowała się psia obroża wykonana z prawdziwego złota! Rozległ się pomruk zdumienia, a burmistrz pochylił się i własnoręcznie założył ją psu na szyję. .

Na obroży dużymi literami wygrawerowano następujące słowa: „Jip — najmądrzejszy pies na świecie".

Potem zgromadzony tłum pomaszerował na plażę, by ich pożegnać. Rudowłosy rybak, jego siostra i mały chłopiec dziękowali doktorowi i jego psu bez końca. A potem wielki, szybki statek ze szkarłatnymi żaglami ustawił dziób w kierunku Puddleby, po czym ruszył na pełne morze, a stojąca na brzegu orkiestra głośno grała.

ROZDZIAŁ DWUDZIESTY PIERWSZY

NARESZCIE W DOMU!

Marcowy wiatr pojawił się i zniknął, kwietniowy deszczyk przeminął, majowe pąki przemieniły się w kwiaty, a czerwcowe słońce rozświetlało jasne pola, gdy w końcu John Dolittle wrócił do kraju.

Ale nie pojechał prosto do Puddleby. Najpierw cygańskim wozem objechał z dwugłowcem całą Anglię, zatrzymując się na wszystkich wiejskich jarmarkach. A tam pomiędzy akrobatami z jednej strony a teatrem kukiełkowym z drugiej wywieszali olbrzymi plakat, na którym było napisane: „Przyjdźcie obejrzeć niezwykłe zwierzę o dwóch głowach pochodzące z afrykańskiej dżungli! Wstęp: sześć pensów".

Dwugłowiec siedział w wozie, natomiast wszystkie inne zwierzęta leżały na ziemi. Doktor siadał przed wozem, inkasował sześć pensów, uśmiechał się do gości, a chętni wchodzili do środka. Dab-Dab przez cały czas go upominała, gdyż wpuszczał dzieci za darmo, kiedy tylko spuszczała z niego wzrok.

Zjawili się właściciele zoo i cyrkowcy. Błagali doktora, by sprzedał im to dziwne stworzenie. Obiecywali krocie. Jednak doktor nieustannie kręcił głową i odpowiadał:

— Nie. Dwugłowiec nigdy nie zostanie zamknięty w klatce. Jak my wszyscy musi mieć możliwość decydowania o sobie.

Podczas tej wędrówki zobaczyli wiele dziwnych rzeczy i byli świadkami ciekawych wydarzeń. Jednak po tym, co widzieli w odległych krainach, czego tam dokonali, wszystko, czym się teraz zajmowali, nie robiło na nich wrażenia. Z początku bawiło ich, że prowadzą coś w rodzaju cyrku, jednak po kilku miesiącach sytuacja zaczęła ich potwornie męczyć. Wszyscy wraz z doktorem mieli wielką ochotę powrócić do domu.

Dzięki temu, że tak wielu ludzi przybywało do ich wozu i kupowało bilet za sześć pensów, by wejść do środka, a tam zobaczyć dwugłowca, doktor szybko mógł porzucić cyrkowy fach.

Pewnego pięknego poranka, gdy zakwitły malwy, przybył do Puddleby jako bogaty człowiek, by zamieszkać w małym domku z dużym ogrodem.

Stary kulawy koń bardzo się ucieszył na jego widok, tak samo jaskółki, które już zdążyły zbudować gniazda pod okapem dachu i opiekowały się małymi. Kaczka Dab-Dab także uradowała się z powrotu do domu, który tak dobrze znała — choć czekało na nią mnóstwo roboty: cały dom pokrywała gruba warstwa kurzu, a wszędzie wisiały pajęczyny.

„Doktor siadał przed wozem".

Jip poszedł najpierw pokazać swoją obrożę zarozumiałemu szkockiemu owczarkowi, swojemu sąsiadowi. Potem zaczął biegać po ogrodzie jak szalony, szukając kości, którą zakopał dawno temu, a wreszcie wypłoszył

„Potem zaczął biegać po ogrodzie jak szalony".

wszystkie szczury z szopy. Świnka Geb-Geb wykopała natomiast korzeń chrzanu, który wyrósł na metr pod ogrodowym murem.

Doktor poszedł na spotkanie z marynarzem, który pożyczył mu statek. Kupił mu dwa statki i lalkę dla jego małej córeczki. Zapłacił też sklepikarzowi za prowiant otrzymany na afrykańską wyprawę.

Kupił jeszcze jeden fortepian, w którym zamieszkały białe myszki. Skarżyły się bowiem, że w szufladzie biurka panuje straszny przeciąg.

Nawet wówczas, gdy wypełnił całą skarbonkę stojącą w szafie, miał jeszcze mnóstwo pieniędzy. Musiał postarać się o trzy takie same skarbonki, by włożyć do nich resztę gotówki.

— Pieniądze to okropne utrapienie — powiedział. — Jednak dobrze, jeśli nie trzeba się o nie martwić.

— To prawda — potwierdziła Dab-Dab, która piekła bułeczki na podwieczorek. — Najświętsza prawda!

A kiedy znowu nastała zima i za oknami sypał biały śnieg, po kolacji doktor i jego zwierzęta siadywali przy palenisku w kuchni, a on czytał im swoje książki.

Ale gdzieś daleko w Afryce małpy, siedząc na palmach, a potem kładąc się spać oświetlone jasnym światłem księżyca, mówią do siebie:

— Ciekawe, co robi teraz dobry człowiek — tam, daleko w Anglii. Czy kiedyś do nas wróci?

A Polinezja wykrzykuje z gąszczu:

— Myślę, że wróci. Mam taką nadzieję!

A wtedy krokodyl wychyla łeb z czarnego błota i chrząka głośno:

— No pewnie, że wróci. Idźcie wreszcie spać!

Posłowie

Minęło dużo czasu od ostatniej amerykańskiej publikacji książek o doktorze Dolittle'u. Gdy na całym świecie sprzedawały się one w milionach egzemplarzy, jak na ironię w USA, w kraju, gdzie po raz pierwszy wydano poczytną powieść o lekarzu znającym język zwierząt, książki te czekały na ponowne wydanie ponad dziesięć lat.

Dlatego wydawnictwo Dell Publishing sprawiło wszystkim miłą niespodziankę, ogłaszając zamiar kolejnego wydania powieści o doktorze Dolittle'u. Następne pokolenie młodych czytelników ma okazję poznać przygody doktora Dolittle'a, Tomka Stubbinsa, Mateusza Mugga i całej menażerii doktora: papugi Polinezji, kaczki Dab-Dab, psa Jipa, sowy Tu-Tu i małpki Czi-Czi.

Decyzja o ponownym wydaniu książek sprawiła jednak, że trzeba było rozstrzygnąć pewne kwestie. W niektórych tomach znalazły się sceny, które w świetle dzisiejszej obyczajowości można by uznać za lekceważenie pewnych grup etnicznych, i z tego względu nie powinny znaleźć się w powieści przeznaczonej dla młodego czytelnika. Przygotowując setne wydanie książek, postanowiono zwrócić uwagę na to zagadnienie.

Wydawca zastanawiał się, czy usunąć, czy też zmienić niektóre fragmenty powieści. Doszedł jednak do wniosku, że ma obowiązek opublikowania dzieł pisarza, a nie cenzurowania ich. Ponieważ autor już dawno nie żyje, nie można było otrzymać jego pozwolenia na dokonanie jakichkolwiek poprawek. Co ważniejsze, książki o doktorze Dolittle'u należą do klasyki dziecięcej literatury i dlatego można postawić argument nie do obalenia, że nie wolno ingerować w klasykę.

Obecnie żyjemy jednak w innych czasach i w związku z tym trzeba było odpowiedzieć na pytanie: czy można ponownie wydać książki o doktorze Dolittle'u w wersji oryginalnej kosztem lekceważenia uczuć innych ludzi? Z drugiej strony, czy można kolejnym młodym pokoleniom zabronić dostępu do tych książek z powodu kilku drobnych uwag zamieszczonych w jednym czy dwóch tomach, dotyczących jakiejś grupy etnicznej, jeśli uwagi owe nie stanowią integralnej lub istotnej części opowieści? Jak należycie rozwiązać problem, jeśli w tej kwestii istnieje ogromna rozbieżność opinii wśród rodziców, księgarzy i nauczycieli?

Wstrzymanie publikacji czy cenzurowanie nie należy do amerykańskiej tradycji! A zmiany oryginalnej wersji można by uznać za poprawki cenzorskie. Powtarzam jeszcze raz pytanie: czy można zabronić dzieciom dostępu do całej serii powieści zaliczanych do klasyki na podstawie sporadycznych i nieistotnych uwag? Takim właśnie trudnościom musieliśmy stawić czoło, podejmując decyzję o wydaniu książek o doktorze Dolittle'u, a po jej podjęciu, rozstrzygając kwestię, czy wolno nam dokonać zmian w wersji oryginalnej.

Po głębokim zastanowieniu doszliśmy do wniosku, że trzeba wprowadzić pewne zmiany, żywiąc przekonanie, że spotkałyby się one z aprobatą ze strony autora. Hugh Lofting zbulwersowany sugestią, że fragmenty jego powieści mogłyby urazić uczucia innych (co było niezamierzone ze strony pisarza), sam z pewnością dokonałby takich przeróbek. Należy jednak podkreślić, że dokonane poprawki są niewielkie i w najmniejszym stopniu nie wpływają na ducha oryginału. Oprócz tego usunęliśmy niektóre rysunki, a dodaliśmy inne, dotąd nigdzie niezamieszczone w formie ilustracji książkowych, także autorstwa pisarza.

Przesłaniem dzieł Hugh Loftinga jest poszanowanie życia i praw wszystkich ludzi, których uznawał za równych sobie. Przesłanie to napotkamy we wszystkich książkach o doktorze Dolittle'u.

W tym miejscu chciałbym podziękować następującym osobom, których przekonanie o wartości literackiej tych utworów istotnie przyczyniło się do ponownej ich publikacji: Janet Chenery, redaktor pomocniczej; Oldze Fricker, szwagierce Hugh Loftinga, a jednocześnie współpracownicy autora i wydawcy ostatnich jego czterech książek; Lori Mack, zastępcy redaktora w wydawnictwie

Dell i Lois Myller, której fascynacja doktorem Dolittle'em pozwoliła na realizację tego projektu.

Jeśli dokonane przez nas zmiany przyczyniły się do wzbudzenia zainteresowania młodej publiki dziełami Hugh Loftinga, będziemy pewni, że podjęliśmy słuszną decyzję.

CHRISTOPHER LOFTING

Notka o autorze

Hugh Lofting urodził się w Maidenhead, w Anglii, w 1886 roku. Aż do ukończenia ósmego roku życia wraz ze swym rodzeństwem miał prywatnych nauczycieli. Studiował inżynierię najpierw w Londynie, a później w Instytucie Technologii w Massachusetts. W 1912 roku ożenił się i na stałe zamieszkał w Stanach Zjednoczonych.

W czasie pierwszej wojny światowej porzucił pracę inżyniera i służył w stopniu porucznika w wojsku. Ilustrowane listy, które wysyłał do rodziny, pomogły mu łagodzić stresy związane z trudami i cierpieniami frontowymi. „O czym tu pisać do dzieci z frontu: wiadomości są albo zbyt straszne, albo nudne. Jedna rzecz coraz bardziej zaczęła przykuwać moją uwagę: jaką znaczącą rolę odgrywają zwierzęta podczas wojny. Stąd narodził się pomysł książki: dziwaczny wiejski lekarz z zacięciem do nauk przyrodniczych i ogromną miłością do zwierząt..."

Te listy złożyły się na powieść *Doktor Dolittle i jego zwierzęta*, opublikowaną w 1920 roku. Przeczytały ją dzieci na całym świecie, a potem jeszcze jedenaście kolejnych, przetłumaczonych na prawie wszystkie języki świata. W 1923 roku *Podróże Doktora Dolittle'a* zdobyły Newbery Medal. Ilustracje pochodzące z dwunastu tomów o doktorze Dolittle'u, dzięki szwagierce Hugh Loftinga, Oldze Fricker, zostały później zebrane w jednym tomie zatytułowanym *Skarbiec doktora Dolittle'a*.

Hugh Lofting zmarł w 1947 roku w swoim domu w Topanga, w Kalifornii.

Spis treści